apéro

cocktails - dips - petits-fours

apéro

Plus de 150 recettes pour manger sainement

TESTÉ 3 FOIS

MARABOUT

sommaire

Un apéro entre amis ? Quel que soit le nombre d'invités, amusez-vous en concevant une suite de plateaux aussi appétissants pour les yeux que savoureux pour les papilles… Laissez parler votre imagination en partant de préparations rapides à mettre en œuvre, entourez-vous de quelques copines aussi imaginatives que vous et mettez-vous au travail dans la bonne humeur ! Avec son choix de recettes, cet ouvrage vous aidera à réussir vos fêtes.

La règle n° 1. Lorsque vous organisez un apéritif, la règle cardinale est fort simple : il doit y avoir assez à manger pour tous. Sinon, des invités affamés risquent de se transformer en invités rapidement imbibés. Péchez donc plutôt par excès que par défaut et montrez-vous généreuse : les plats que vous servez doivent nourrir un bon tiers supplémentaire de convives.

Les quantités. Pour définir les bonnes proportions, prévoyez 4 ou 5 pièces par personne et par heure pour un apéritif. Chaque recette de ce livre vous précise la quantité qu'elle permet d'obtenir. Il est conseillé d'opter pour une variété de plats salés, froids et chauds. Variez les préparations légères et des mets plus consistants.

Les goûts, les dégoûts, les régimes... Lorsque vous choisissez un menu, pensez à vos convives au régime, à leurs goûts et leurs dégoûts, à leurs éventuelles allergies ou les contraintes imposées par telle ou telle religion. L'option végétarienne est indispensable. Il est de même conseillé d'inclure des plats ne comportant ni produits laitiers, ni produits à base de blé, aussi bien que des préparations à faible taux calorique.

Le chaud et le froid. Mélanger le chaud et le froid est toujours une bonne idée. La plupart des recettes de cet ouvrage sont proposées avec un accompagnement chaud et un accompagnement froid pour vous aider dans votre choix. Apprenez cependant à connaître vos limites. Mieux vaut préparer quelques plats bien choisis et se mariant bien entre eux plutôt qu'une kyrielle de recettes ambitieuses.

Variez les saveurs ! Au moment de choisir vos recettes, pensez à marier les couleurs et les textures. Préparez une liste de recettes couvrant un large éventail de saveurs, en vous assurant cependant qu'elles ne supposent pas toutes la même durée de préparation et d'assemblage.

La présentation. Bien que ce soit la qualité et le goût des mets que vos convives vont apprécier, la manière dont vous les présentez accroît elle aussi l'élégance de votre fête. Les assiettes et les plats blancs conviennent pour toute occasion : offrant un fond neutre sur quoi la préparation se détache nettement, ils constituent un style unifié. Le choix d'un thème général offre une manière efficace de créer une ambiance. Si l'Asie inspire principalement votre menu, servez-vous d'une quantité de paniers à vapeur en bambou pour présenter vos plats.

Les boissons. Il est conseillé de proposer un choix de cocktails élaborés à partir d'un ou de deux alcools de base ou d'offrir plus simplement une sélection d'un ou de deux bons vins. Quelle que soit la période de l'année, il n'y aura jamais trop de glaçons. Quoi de pire que des cocktails chauds !

Organisez-vous bien. Le stress encouru sera réduit si vous avez su vous organiser. Préparez la majeure partie à l'avance pour pouvoir profiter de la soirée et de vos invités. Au milieu d'une foule compacte, il est acceptable de faire des allées et venues vers la cuisine, de bavarder avec quelques invités, de présenter un plat à l'assistance… En plus petit comité, tout est affaire d'intimité et de conversations au sein d'une convivialité impossible à instaurer si vous ne cessez de disparaître derrière vos fourneaux. Pensez à cette difficulté quand vous créez votre menu. Le jour même, vous pourrez vous détendre sans gêne, apprécier la douceur de l'heure qui passe et ne constituer qu'un invité de plus dans la foule. Consacrez-vous à vos invités dans la détente et la bonne humeur. Ils sont là avant tout pour vous voir !

cocktails pour tous les goûts

Sangria blanche

2 grosses pommes vertes (400 g)
125 ml de jus de citron vert
525 g de grains de raisin blanc sans pépins
2 bouteilles de riesling de 750 ml
125 ml de rhum blanc
80 ml de calvados
80 g de sucre glace
300 g de myrtilles fraîches
750 ml d'eau gazeuse

1 Pelez et épépinez les pommes, détaillez-les en tranches fines dans un saladier. Arrosez-les de jus de citron vert et laissez-les reposer 5 minutes. Coupez les grains de raisin en deux.
2 Transvasez les pommes sans les égoutter dans une grande coupe, ajoutez le reste des ingrédients et mélangez bien. Couvrez et réfrigérez 3 heures au moins ou toute une nuit.

prêt en 10 minutes
pour 3 litres
pratique les myrtilles congelées ne conviennent pas pour cette recette car elles vont teinter la sangria de rose.
suggestion d'accompagnement toasts aux crevettes, sauce à l'ail et aux tomates séchées (page 207), mini tourtes au poulet (page 252).

Mojito

1 citron vert coupé en quatre
15 ml de sirop de sucre (voir ci-dessous)
6 brins de menthe fraîche
45 ml de rhum léger
75 g de glaçons
150 ml d'eau gazeuse

1 Dans un shaker, à l'aide d'une cuillère à cocktail, écrasez délicatement 3 quartiers de citron vert avec le sirop de sucre et la menthe. Ajoutez le rhum et les glaçons.
2 Secouez vigoureusement et filtrez le tout dans un verre haut. Allongez avec l'eau gazeuse puis décorez du dernier quartier de citron vert.

prêt en 5 minutes
pour 1 verre
sirop de sucre dans une petite casserole, faites dissoudre à feu doux 220 g de sucre en poudre dans 250 ml d'eau. Portez à ébullition puis baissez le feu et laissez frémir 5 minutes sans couvrir ni remuer. Laissez refroidir à température ambiante.
suggestion d'accompagnement toasts de pita aux rillettes de thon (page 203), quesadillas (page 327).

Mojito à la citronnelle

1 bâton de citronnelle
4 brins de menthe fraîche
15 ml de sirop de sucre (voir page 15)
45 ml de rhum
150 g de glaçons
150 ml d'eau gazeuse

1 Coupez un bâton de citronnelle en deux. Réservez le vert et détaillez le blanc en tranches très fines. Mettez-le dans un shaker avec la menthe et le sirop de sucre. Écrasez le tout à l'aide d'une cuillère à cocktail puis ajoutez le rhum et la moitié des glaçons. **2** Secouez vigoureusement et filtrez le mélange dans un verre haut. Ajoutez les glaçons restants et l'eau gazeuse. **3** Avec la lame d'un couteau, écrasez l'autre bout de citronnelle et décorez-en le cocktail, la partie écrasée plongée dans le liquide.

prêt en 10 minutes
pour 1 verre
suggestion d'accompagnement huîtres au beurre de pesto (page 180), antipasti (page 268).

Caipiroska

1 citron vert
2 c. à c. de sucre en poudre
45 ml de vodka
150 ml de glace pilée

1 Détaillez le citron vert en 8 quartiers. Écrasez-les à l'aide d'une cuillère à cocktail dans un shaker avec le sucre en poudre. Ajoutez la vodka et la glace pilée.
2 Secouez vigoureusement le mélange puis versez-le dans un verre à whisky.

prêt en 5 minutes
pour 1 verre
suggestion d'accompagnement trio de dips (page 80), toasts au bœuf sauté (page 288).

Caipiroska aux litchis

2 litchis frais
2 c. à c. de sucre en poudre
45 ml de vodka
10 ml de jus de citron vert
125 g de glace pilée

1 Dans un shaker, écrasez à l'aide d'une cuillère à cocktail les litchis
avec le sucre en poudre. Ajoutez la vodka, le jus de citron vert
et la glace pilée.
2 Secouez vigoureusement puis filtrez le mélange
dans un verre à whisky.

prêt en 5 minutes
pour 1 verre
suggestion d'accompagnement antipasti en brochettes (page 151),
samosas à l'agneau (page 304).

Martini à la vodka

1 olive verte
1 trait de Martini blanc
45 ml de vodka
150 g de glaçons

1 Dans un verre à Martini frappé, déposez l'olive verte dénoyautée et versez le Martini blanc. Inclinez le verre en tous sens pour napper les parois de Martini.
2 Dans un shaker, mélangez la vodka et les glaçons. Secouez vigoureusement et versez le tout dans le verre.

prêt en 5 minutes
pour 1 verre
suggestion d'accompagnement bruschetta à la niçoise (page 203), huîtres à l'asiatique (page 342).

Martini à la vodka et aux piments

1 petit piment rouge
3 gouttes de Tabasco
45 ml de vodka
150 g de glaçons

1 Dans un verre à Martini frappé, déposez le piment rouge et versez 3 gouttes de Tabasco.
2 Dans un shaker, mélangez la vodka et les glaçons. Secouez vigoureusement et versez le tout dans le verre.

prêt en 5 minutes
pour 1 verre
suggestion d'accompagnement dip à la ricotta et aux olives vertes (page 156), brochettes yakitori (page 353).

Cosmopolitan

150 g de glaçons
45 ml de vodka
30 ml de Cointreau
20 ml de jus de canneberge
10 ml de jus de citron vert
1 lanière de zeste d'orange pour décorer

1 Dans un shaker, versez les glaçons, la vodka, le Cointreau, le jus de canneberge et le jus de citron vert.
2 Secouez vigoureusement et versez le mélange dans un verre à cocktail frappé. Décorez d'une lanière de zeste d'orange.

prêt en 5 minutes
pour 1 verre
suggestion d'accompagnement palmiers au fromage et aux olives (page 108), antipasti en brochettes (page 151).

Cosmopolitan à la pomme

150 g de glaçons
45 ml de vodka
30 ml de Cointreau
10 ml de jus de canneberge
15 ml de jus de pomme
5 ml de jus de citron vert
1 lanière de pelure de pomme pour décorer

1 Dans un shaker, versez sur les glaçons la vodka, le Cointreau, le jus de canneberge, le jus de pomme et le jus de citron vert.
2 Secouez vigoureusement et versez le mélange dans un verre frappé. Décorez-le d'une lanière de pelure de pomme.

prêt en 5 minutes
pour 1 verre
suggestion d'accompagnement olives chaudes à l'ail, au piment et à l'origan (page 84), bâtonnets de mozzarella panés (page 143).

Margarita

150 g de glaçons
45 ml de tequila ambrée
30 ml de Cointreau
30 ml de jus de citron
30 ml de sirop de sucre (voir page 15)
1 quartier de citron vert
sel
1 rondelle de citron vert pour décorer

1 Dans un shaker, versez sur les glaçons la tequila, le Cointreau, le jus de citron et le sirop de sucre. Secouez vigoureusement le tout.
2 Passez un quartier de citron vert sur le bord du verre avant de le retourner sur une soucoupe de sel pour le givrer.
3 Versez le cocktail dans le verre et décorez-le d'une rondelle de citron vert.

prêt en 5 minutes
pour 1 verre
suggestion d'accompagnement mini pizzas à la grecque (page 129), bocconcinis marinés et prosciutto (page 139).

Margarita à l'orange sanguine

150 g de glaçons
45 ml de tequila ambrée
30 ml de jus de citron vert
30 ml de jus d'orange sanguine
30 ml de sirop de sucre (voir page 15)
1 quartier de citron vert
sel
1 rondelle d'orange sanguine pour décorer

1 Dans un shaker, versez les glaçons, la tequila, le jus de citron vert, le jus d'orange sanguine et le sirop de sucre.
2 Secouez vigoureusement le tout et versez-le dans un verre à margarita givré au sel (voir page 31). Décorez le cocktail d'une rondelle d'orange sanguine.

prêt en 5 minutes
pour 1 verre
suggestion d'accompagnement beignets au chèvre et aux pommes de terre (page 144), dip au crabe (page 215).

Vodka rose au citron vert

250 ml de jus de citron vert (environ 8 citrons verts)
125 ml de vodka
125 ml d'eau
1 litre de jus de canneberge

1 Mélangez tous les ingrédients dans une carafe.
2 Couvrez et réfrigérez jusqu'à ce que le cocktail soit frappé.

prêt en 10 minutes
pour 1,5 litre
suggestion d'accompagnement ailes de poulet panés (page 251),
asperges au jambon cru et au fromage (page 319).

Tom Collins

60 g de glaçons
60 ml de gin
80 ml de jus de citron
2 c. à c. de sucre glace
80 ml d'eau gazeuse
1 cerise au marasquin

1 Versez les glaçons dans un verre haut frappé.
Ajoutez le gin, le jus de citron, le sucre glace et l'eau gazeuse.
2 Mélangez bien le tout et ajoutez une cerise au marasquin.

prêt en 5 minutes
pour 1 verre
suggestion d'accompagnement trio de dips (page 80),
tartines de chèvre aux herbes (page 159).

Tom Collins au bitter

60 g de glaçons
60 ml de gin
80 ml de jus de citron
2 c. à c. de sucre glace
1 trait de bitter Angustura
80 ml d'eau gazeuse
½ rondelle d'orange pour décorer

1 Dans un verre haut frappé, versez les glaçons, ajoutez le gin, le jus de citron, le sucre glace, un trait de bitter Angustura et l'eau gazeuse.
2 Mélangez bien et décorez le cocktail de ½ rondelle d'orange.

prêt en 5 minutes
pour 1 verre
suggestion d'accompagnement tartelettes aux asperges et au chèvre (page 160), toasts de polenta aux foies de volaille (page 263).

Bellini

45 ml de nectar de pêche
5 ml de jus de citron vert
15 ml de liqueur de pêche
150 ml de champagne brut

1 Dans une grande flûte à champagne frappée,
versez le nectar de pêche, le jus de citron vert
et la liqueur de pêche.
2 Mélangez bien, puis ajoutez le champagne brut frappé.

prêt en 5 minutes
pour 1 verre
suggestion d'accompagnement scones au fromage (page 164),
canapés croustillants au tartare de thon (page 200).

Bellini à la mangue

60 ml de nectar de mangue
15 ml de liqueur de mangue
5 ml de jus de citron vert
120 ml de champagne brut

1 Versez le nectar de mangue, la liqueur de mangue
et le jus de citron vert dans une grande flûte à champagne frappée.
2 Mélangez bien le tout, puis complétez le cocktail
avec le champagne brut frappé.

prêt en 5 minutes
pour 1 verre
suggestion d'accompagnement huîtres à la mangue
et au piment (page 184), barquettes de trévise au crabe (page 224).

Piña colada

30 ml de rhum blanc
30 ml de rhum ambré
80 ml de jus d'ananas
20 ml de sirop de sucre (voir page 15)
40 ml de crème de coco
220 g de glaçons
1 trait de bitter Angustura

1 Mélangez le rhum blanc, le rhum ambré, le jus d'ananas, le sirop de sucre, la crème de coco, les glaçons et un trait de bitter Angustura.
2 Servez le cocktail dans un grand verre-tulipe.

prêt en 5 minutes
pour 1 verre
suggestion d'accompagnement crevettes à l'orange et au miel (page 227), taquitos au chorizo (page 331).

Piña colada aux fruits de la passion

30 ml de rhum blanc
30 ml de rhum ambré
80 ml de jus de fruits de la passion frais filtré (soit 8 fruits frais)
20 ml de sirop de sucre (voir page 15)
40 ml de crème de coco
½ c. à c. de graines de fruits de la passion
150 g de glaçons

1 Mixez le rhum blanc, le rhum ambré,
le jus de fruits de la passion frais filtré, le sirop de sucre,
la crème de coco, les graines de fruits de la passion et les glaçons.
2 Versez le tout dans un grand verre-tulipe.

prêt en 5 minutes
pour 1 verre
suggestion d'accompagnement poulpes au piment et à l'ail (page 236),
porc givré à l'ananas (page 280).

Long island tea

75 g de glaçons
15 ml de vodka
15 ml de rhum blanc
15 ml de tequila blanche
15 ml de gin
10 ml de Cointreau
15 ml de jus de citron
15 ml de sirop de sucre (voir page 15)
80 ml de Coca-Cola
1 rondelle de citron pour décorer

1 Dans un shaker, versez les glaçons, la vodka, le rhum blanc, la tequila, le gin, le Cointreau, le jus de citron et le sirop de sucre.
2 Secouez vigoureusement et versez le tout dans un verre haut.
3 Allongez avec le Coca-Cola et décorez d'une rondelle de citron.

prêt en 5 minutes
pour 1 verre
suggestion d'accompagnement dip aux piments et au fromage (page 168), mini sandwichs au bœuf (page 292).

Iced tea à la limonade

120 g de glaçons
15 ml de vodka
15 ml de rhum blanc
15 ml de tequila blanche
15 ml de gin
10 ml de Cointreau
15 ml de jus de citron vert
15 ml de sirop de sucre (voir page 15)
80 ml de limonade
1 rondelle de citron vert pour décorer

1 Dans un shaker, versez les glaçons, la vodka, le rhum, la tequila, le gin, le Cointreau, le jus de citron vert et le sirop de sucre.
2 Secouez vigoureusement et versez le tout dans un verre haut.
3 Allongez avec la limonade et décorez d'une rondelle de citron vert.

prêt en 5 minutes
pour 1 verre
suggestion d'accompagnement bouchées au fenouil et au gorgonzola (page 107), brochettes frites d'olives, tomates séchées et salami (page 316).

Cuba libre

75 g de glaçons
45 ml de rhum ambré
20 ml de jus de citron vert
125 ml de Coca-Cola
1 rondelle de citron vert pour décorer

1 Dans un verre haut, versez les glaçons,
le rhum et le jus de citron vert.
2 Mélangez bien puis ajoutez le Coca-Cola.
3 Décorez le verre d'une rondelle de citron vert.

prêt en 5 minutes
pour 1 verre
suggestion d'accompagnement bruschetta artichaut poivron grillé
(page 124), dip aux piments et au fromage (page 168).

Cuba libre à la vanille

75 g de glaçons
45 ml de rhum ambré
10 ml de jus de citron vert
125 ml de limonade à la vanille
1 rondelle de citron pour décorer

1 Dans un verre haut, versez les glaçons, le rhum et le jus de citron vert.
2 Remuez bien le tout, puis ajoutez la limonade à la vanille.
3 Décorez d'une rondelle de citron.

prêt en 5 minutes
pour 1 verre
suggestion d'accompagnement houmous (page 91),
scones au fromage (page 164).

White russian

30 ml de vodka
45 ml de liqueur de café
40 ml de crème liquide
75 g de glaçons

1 Dans un verre à whisky, versez la vodka, la liqueur de café, la crème liquide et les glaçons.
2 Mélangez bien puis servez.

prêt en 5 minutes
pour 1 verre
suggestion d'accompagnement mini sandwichs au poulet et aux noix de pécan (page 244), gaufres au jambon et à l'ananas (page 336).

White russian à la noix de coco

75 g de glaçons
30 ml de vodka
15 ml de liqueur de café
30 ml de Malibu
40 ml de crème de coco

1 Dans un verre à whisky, versez les glaçons, la vodka, la liqueur de café, le Malibu et la crème de coco.
2 Mélangez bien puis servez.

prêt en 5 minutes
pour 1 verre
suggestion d'accompagnement crevettes citron vert coco (page 228), friands aux saucisses (page 332).

Bloody Mary

150 g de glaçons
60 ml de vodka
10 ml de jus de citron
¼ de c. à c. de Tabasco
½ c. à c. de raifort
1 trait de sauce Worcestershire
1 pincée de sel au céleri
150 ml de jus de tomate
poivre
1 bâtonnet de céleri pour décorer

1 Mettez 150 g de glaçons dans un verre haut, ajoutez la vodka, le jus de citron, le Tabasco, le raifort, la sauce Worcestershire, le sel au céleri et le jus de tomate.
2 Remuez pour mélanger.
3 Donnez quelques tours de moulin à poivre et décorez d'un tronçon de céleri.

prêt en 5 minutes
pour 1 verre
suggestion d'accompagnement trio d'asperges (page 95), mini frittatas aux courgettes (page 99).

Bloody Mary à la thaïlandaise

1 c. à c. de sucre de palme râpé
2 feuilles de combava finement ciselées
1 petit piment rouge
20 ml de jus de citron vert
60 ml de vodka
150 g de glaçons
1 trait de nuoc-mâm
150 ml de jus de tomate
1 rondelle de citron vert pour décorer

1 À l'aide d'une cuillère à cocktail, écrasez dans un shaker
le sucre de palme, les feuilles de combava, le piment rouge
et le jus de citron vert. Ajoutez la vodka, les glaçons
et un trait de nuoc-mâm.
2 Secouez vigoureusement et filtrez le mélange dans un verre haut.
Complétez avec le jus de tomate et remuez pour mélanger.
3 Décorez le cocktail d'une rondelle de citron vert.

prêt en 5 minutes
pour 1 verre
suggestion d'accompagnement huîtres à l'asiatique (page 342),
maki au thon et au concombre (page 365).

Bloody Mary aux huîtres

16 huîtres
2 c. à s. de vodka
2 c. à s. de jus de citron
180 ml de jus de tomate
¼ de c. à c. de Tabasco
1 c. à c. de sauce Worcestershire

1 Placez une huître au fond de chaque verre.
2 Mélangez les autres ingrédients dans un pichet.
Répartissez le mélange dans les verres.
3 Servez froid.

prêt en 10 minutes
pour 16 verres
conseil vous pouvez préparer la base du Bloody Mary à l'avance
et la conserver au réfrigérateur. Attendez le dernier moment pour ouvrir
les huîtres et en garnir les verres.
suggestion d'accompagnement quesadillas (page 327),
cornets californiens (page 366).

Frappé à l'orange,
à la fraise et à la papaye

1,5 kg de chair de papaye (rouge de préférence) coupée en cubes
250 g de fraises
180 ml de jus d'orange frappé

1 Mixez la papaye en purée avec les fraises et le jus d'orange frappé.

prêt en 10 minutes
pour 1 litre
suggestion d'accompagnement palmiers aux herbes
et aux champignons (page 108), ailes de poulet au miel
et au soja (page 247).

Fraîcheur de pastèque

900 g de chair de pastèque coupé en gros cubes
125 ml de jus d'orange frappé
40 ml de jus de citron vert
rondelles de citron vert pour décorer

1 Mixez en purée liquide la chair de pastèque avec le jus d'orange
et le jus de citron vert.
2 Garnissez de rondelles de citron vert.

prêt en 10 minutes
pour 1 litre
suggestion d'accompagnement tartelettes aux asperges
et au chèvre (page 160), crevettes à l'orange et au miel (page 227).

Sea breeze sans alcool

500 ml de jus de canneberge frappé
500 ml de jus de pamplemousse rose frappé
40 ml de jus de citron vert

1 Dans une carafe, versez le jus de canneberge,
le jus de pamplemousse rose et le jus de citron vert.
2 Mélangez vigoureusement.

prêt en 5 minutes
pour 1 litre
suggestion d'accompagnement beignets de légumes
et tzatziki (page 88), feuilletés au maïs et au bacon (page 327).

Nectar de canneberges et de framboises

500 ml de jus de canneberge
250 ml de sorbet aux fruits rouges
150 g de framboises surgelées
20 ml de jus de citron
sucre glace (facultatif)

1 Mixez en purée liquide le jus de canneberge, le sorbet aux fruits rouges, les framboises surgelées et le jus de citron. Pour une boisson plus douce, ajoutez du sucre glace.
2 Si les jus se séparent, mélangez de nouveau le nectar.

prêt en 5 minutes
pour 1 litre
suggestion d'accompagnement guacamole (page 92), trio de pizzas (page 271).

Pétillant au citron vert et à la citronnelle

90 g de sucre de palme râpé
125 ml d'eau
2 c. à c. de citronnelle grossièrement hachée
125 ml de jus de citron vert
750 ml d'eau gazeuse glacée
150 g de glaçons

1 Dans une petite casserole, faites dissoudre à feu doux
le sucre de palme râpé dans l'eau. Hors du feu, ajoutez la citronnelle.
Couvrez et réfrigérez.
2 Filtrez le mélange dans une grande carafe et complétez
avec le jus de citron vert, l'eau gazeuse glacée et les glaçons.

prêt en 15 minutes
pour 1 litre
suggestion d'accompagnement huîtres au mirin et au wasabi (page 192),
cornets californiens (page 366).

Jus d'ananas et de pomme à la cannelle

1 litre de jus de pomme
4 bâtonnets de cannelle brisés en deux
1 litre de jus de pamplemousse

1 Portez à ébullition le jus de pomme et les bâtonnets de cannelle. Laissez revenir le liquide à température ambiante puis versez-le dans une grande carafe. Couvrez-le et réfrigérez-le 3 heures ou toute une nuit.
2 Ajoutez le jus de pamplemousse au jus de pomme à la cannelle et mélangez bien.
3 Décorez chaque verre de 1 bâtonnet de cannelle.

prêt en 10 minutes
pour 2 litres
suggestion d'accompagnement gaufres au jambon et à l'ananas (page 336), bouchées de crevettes à la vapeur (page 374).

apéro végétarien

Trio de dips

Ces trois dips se conservent jusqu'à trois jours au réfrigérateur, couverts d'une fine couche d'huile d'olive. Vous pouvez les servir avec un assortiment de légumes et de gressins.

pesto
100 g de feuilles de basilic frais
160 ml d'huile d'olive
1 gousse d'ail coupée en quatre
2 c. à c. de zeste de citron finement râpé
2 c. à c. de parmesan finement râpé
tapenade
300 g d'olives noires dénoyautées
2 c. à s. de câpres, rincées et égouttées
1 gousse d'ail coupée en quatre
2 c. à s. de jus de citron
1 c. à s. de persil plat frais
80 ml d'huile d'olive
anchoïade
40 filets d'anchois égouttés
1 c. à s. de jus de citron
2 gousses d'ail coupées en quatre
3 c. à c. de feuilles de thym citronné
80 ml d'huile d'olive
2 c. à s. d'eau chaude

pesto mixez tous les ingrédients jusqu'à obtention d'une pâte lisse.
tapenade mixez ou écrasez tous les ingrédients jusqu'à obtenir une pâte lisse.
anchoïade mixez ou écrasez les anchois avec le jus de citron, l'ail et le thym pour obtenir une pâte lisse. Ajoutez l'huile d'olive en fin filet tout en continuant de mixer jusqu'à ce que la pâte s'épaississe. Versez dans un bol et ajoutez l'eau chaude en remuant.

prêt en 15 minutes
pour 1 bol de chaque
suggestion d'accompagnement trio d'asperges (page 95), brochettes de bœuf aux trois légumes (page 291).

Dip de haricots blancs et croustillants de pita

1 gousse d'ail pilée
5 ou 6 branches de persil plat frais effeuillées
400 g de haricots blancs en boîte, rincés et égouttés
1 c. à c. de cumin en poudre
80 ml d'huile d'olive
6 pitas coupés en six

1 Préchauffez le four à 200 °C ou à 180 °C pour un four à chaleur tournante.
2 Mixez l'ail, le persil, les haricots et le cumin pour obtenir une purée. Ajoutez ensuite l'huile d'olive en fin filet tout en continuant de mixer pour obtenir une pâte lisse.
3 Placez les morceaux de pita sur une plaque légèrement huilée et faites-les cuire au four 8 minutes environ pour qu'ils dorent légèrement.
4 Servez le dip de haricots avec les morceaux croustillants de pita.

prêt en 20 minutes
pour 1 bol
suggestion d'accompagnement bouchées de concombre à l'avocat (page 91), ailes de poulet panés (page 251).

Olives chaudes à l'ail, au piment et à l'origan

180 ml d'huile d'olive vierge extra
1 long piment rouge frais finement haché
1 gousse d'ail finement émincée
5 ou 6 branches d'origan frais grossièrement hachées
500 g d'olives vertes et noires

1 Dans une grande poêle, faites chauffer l'huile d'olive et faites revenir le piment, l'ail et l'origan jusqu'à ce que le mélange embaume.
2 Ajoutez les olives et faites-les sauter jusqu'à ce qu'elles soient chaudes.
3 Servez accompagné de gressins.

prêt en 10 minutes
pour 8 personnes
suggestion d'accompagnement rondelles d'oignons en beignets (page 112), feta grillée (page 155).

Champignons à l'ail

90 g de beurre coupé en morceaux
3 gousses d'ail pilées
750 g de champignons de Paris coupés en deux
1 c. à s. de jus de citron
2 c. à s. de persil plat frais grossièrement ciselé
1 c. à c. de sel de mer
¼ de c. à c. de poivre noir fraîchement moulu

1 Faites fondre le beurre dans une casserole. Faites-y revenir l'ail jusqu'à ce qu'il embaume.
2 Ajoutez les champignons, remuez pour les enrober de beurre. Laissez cuire à couvert, à feu vif, en remuant de temps en temps, jusqu'à ce que les champignons soient presque tendres.
3 Retirez le couvercle et portez à ébullition jusqu'à ce que le liquide réduise de moitié.
4 Incorporez les ingrédients restants.

prêt en 20 minutes
pour 8 personnes
suggestion d'accompagnement dip à la betterave (page 104), brochettes de bœuf aux trois légumes (291).

Beignets de légumes et tzatziki

4 courgettes moyennes (480 g) grossièrement râpées
1 c. à c. de sel
1 oignon moyen (150 g) finement émincé
50 g de chapelure
2 œufs battus
1 c. à s. d'origan frais finement ciselé
1 c. à s. de menthe fraîche finement ciselée
2 c. à s. d'huile d'olive vierge extra
tzatziki
560 g de yaourt à la grecque épais
1 concombre libanais (130 g)
1 gousse d'ail pilée
2 c. à s. de menthe fraîche finement ciselée
2 c. à s. de jus de citron
½ c. à c. de sel de mer

1 Préparez le tzatziki.
2 Mélangez les courgettes et le sel dans un saladier. Laissez dégorger 15 minutes puis pressez pour enlever le maximum de liquide. Mélangez les courgettes, l'oignon, la chapelure, les œufs, l'origan et la menthe.
3 Faites chauffer l'huile d'olive dans une grande poêle et faites-y revenir le mélange par cuillerée, en plusieurs tournées, en aplatissant légèrement jusqu'à ce que les beignets soient dorés des deux côtés et cuits. Égouttez-les sur du papier absorbant et couvrez-les pour les garder chauds.
4 Servez les beignets avec le tzatziki.
tzatziki couvrez une passoire de papier absorbant et placez-la au-dessus d'un saladier. Mettez le yaourt dans la passoire, couvrez et placez-le 4 heures au réfrigérateur. Jetez le liquide obtenu. Coupez le concombre en deux dans le sens de la longueur et épépinez-le. Râpez grossièrement la chair et la peau, pressez pour retirer le maximum de jus. Mélangez le concombre, le yaourt, l'ail, la menthe, le jus de citron et le sel dans un bol.

prêt en 40 minutes + réfrigération
pour 8 personnes
suggestion d'accompagnement tartines à l'ail, à la feta et aux champignons (page 120), ailes de poulet buffalo (page 244).

Houmous

600 g de pois chiches en boîte,
rincés et égouttés
3 gousses d'ail coupées en quatre
125 ml d'huile d'olive

2 c. à s. de tahini
80 ml de jus de citron
60 ml d'eau

1 Mixez ou écrasez les pois chiches avec le tahini, le jus de citron, l'ail et l'eau pour obtenir une pâte presque homogène. Ajoutez l'huile d'olive en fin filet tout en continuant de mixer jusqu'à obtenir une pâte lisse.
2 Vous pouvez servir l'houmous avec des bâtonnets de carottes.

prêt en 10 minutes
pour 2 gros bols
suggestion d'accompagnement bruschetta à l'aubergine et aux olives (page 123), beignets au chèvre et aux pommes de terre (page 144).

Bouchées de concombre à l'avocat

250 g de fromage frais
1 avocat moyen (200 g)
2 c. à s. de jus de citron
1 c. à s. de sambal oelek

1 concombre (200 g)
coupé en tranches
80 g de saumon émietté en boîte
quelques tiges de ciboules

1 Mixez le fromage frais avec la chair de l'avocat. Ajoutez le jus de citron et le sambal oelek.
2 À la cuillère ou à l'aide d'une poche à douille, recouvrez de cette préparation des tranches de concombre et complétez avec quelques morceaux de saumon et une ou deux tiges de ciboules.

prêt en 10 minutes
pour 6 personnes
suggestion d'accompagnement bouchées de fontina frites (page 175), brochettes de citronnelle au saumon grillé (page 232).

Guacamole

3 avocats moyens (750 g)
½ petit oignon rouge (50 g) finement émincé
1 petite tomate oblongue (60 g), épépinée et coupée en dés
1 c. à s. de jus de citron vert
5 ou 6 branches de coriandre fraîche ciselées

1 Écrasez les avocats dans un bol.
2 Ajoutez les ingrédients restants et mélangez.

prêt en 10 minutes
pour 2 bols
suggestion d'accompagnement mini sandwichs au poulet et aux noix de pécan (page 244), chips de tortilla saveur pizza (page 323).

Trio d'asperges

asperges à l'ail et aux anchois
200 g d'asperges parées
2 c. à s. d'huile d'olive vierge extra
1 gousse d'ail coupée en fines lamelles
3 anchois égouttés et coupés en morceaux
poivre noir fraîchement moulu
asperges au beurre et au parmesan
200 g d'asperges parées
20 g de beurre doux fondu
2 c. à s. de copeaux de parmesan
½ c. à c. de poivre noir fraîchement moulu
asperges au vinaigre balsamique
200 g d'asperges parées
1 grosse tomate (220 g) coupée en dés
2 c. à s. d'huile d'olive vierge extra
3 c. à c. de vinaigre balsamique
½ c. à c. de poivre noir fraîchement moulu
1 c. à s. de petites feuilles de basilic

asperges à l'ail et aux anchois préchauffez le four à 200 °C ou à 180 °C
pour un four à chaleur tournante. Placez les asperges dans un plat peu
profond allant au four et recouvrez-les du mélange d'huile d'olive, d'ail,
d'anchois et de poivre. Remuez les asperges pour les enrober de sauce.
Faites-les cuire 5 minutes jusqu'à ce qu'elles soient tendres.
asperges au beurre et au parmesan faites cuire les asperges
dans de l'eau bouillante, à la vapeur ou au micro-ondes. Servez-les
avec un filet de beurre fondu, parsemées de copeaux de parmesan
et de poivre.
asperges au vinaigre balsamique faites cuire les asperges sur un gril
en fonte légèrement huilé (ou sous le gril du four ou au barbecue)
pendant 5 minutes. Servez-les recouvertes du mélange de tomates,
d'huile d'olive, de vinaigre balsamique et de poivre. Parsemez de basilic.

prêt en 25 minutes
pour 6 personnes
suggestion d'accompagnement dip de haricots blancs et croustillants
de pita (page 83), assortiment de boulettes de fromage (page 136).

Dip d'épinards à la turque

1 c. à s. d'huile d'olive
1 petit oignon (80 g) finement haché
1 gousse d'ail pilée
1 c. à c. de cumin en poudre
½ c. à c. de curry en poudre
¼ de c. à c. de curcuma en poudre
100 g de pousses d'épinards lavées et coupées en fines lanières
500 g de yaourt ferme

1 Faites chauffer l'huile d'olive dans une poêle et faites-y revenir l'oignon et l'ail, en remuant, jusqu'à ce que l'oignon soit tendre. Ajoutez les épices et faites chauffer jusqu'à ce qu'elles embaument. Ajoutez les épinards et faites cuire en remuant jusqu'à ce qu'ils flétrissent. Placez la préparation dans un bol de service et laissez-la refroidir.
2 Incorporez le yaourt, couvrez et placez 1 heure au réfrigérateur.
3 Servez le dip froid, accompagné de pita grillé.

prêt en 20 minutes + réfrigération
pour 2 bols
suggestion d'accompagnement bâtonnets de mozzarella panés (page 143), mini tourtes de bœuf à la Guinness (page 284).

Mini frittatas aux courgettes

4 œufs
120 g de crème fraîche
2 c. à s. de ciboulette fraîche finement ciselée
1 petite courgette jaune (90 g) râpée
1 petite courgette verte (90 g) râpée
2 c. à s. de parmesan finement râpé
1 c. à s. de ciboulette fraîche ciselée supplémentaire

1 Préchauffez le four à 180 °C ou à 160 °C pour un four
à chaleur tournante. Huilez 24 petits moules à muffins de 30 ml.
2 Battez les œufs avec deux tiers de la crème fraîche pour obtenir
un mélange homogène. Incorporez la ciboulette, les courgettes
et le parmesan.
3 Répartissez la pâte dans les moules. Faites cuire les frittatas
à découvert pendant 15 minutes puis retournez-les sur une grille
pour qu'elles refroidissent. Décorez-les avec la crème fraîche restante
et la ciboulette avant de servir.

prêt en 35 minutes
pour 24 frittatas
suggestion d'accompagnement dentelles aux noix
et au parmesan (page 163), mini tourtes au poulet (page 252).

Salade de mangue verte

3 cm de gingembre frais (15 g) râpé
2 c. à c. de vinaigre de riz
1 c. à c. d'huile d'arachide
2 c. à c. de mirin
2 c. à c. de sauce de soja
2 petites mangues vertes (150 g) râpées
2 ciboules coupées en tranches fines
1 long piment rouge émincé
40 g de germes de soja frais
2 grosses poignées de coriandre fraîche
50 g de pois gourmands coupés en tranches fines
80 g de chou chinois coupé en lanières
24 grosses feuilles de basilic ou de laitue

1 Mélangez le gingembre, le vinaigre, l'huile, le mirin et la sauce de soja dans un saladier. Ajoutez les mangues, les ciboules, le piment, les germes de soja, la coriandre, les pois gourmands et le chou chinois. Remuez délicatement.
2 Disposez un peu de salade sur chaque feuille de basilic ou de laitue présentée à plat sur une grande assiette.

prêt en 25 minutes
pour 24 barquettes
suggestion d'accompagnement tofu poivre et sel (page 132), toasts de pain de seigle à la ricotta (page 163).

Cœurs d'artichauts en vinaigrette au vin blanc

1 citron moyen (140 g) coupé en quartiers
20 petits artichauts (2 kg)
500 ml de vin blanc sec
½ bouquet de thym frais effeuillé
5 gousses d'ail non pelées
125 ml de jus de citron
2 c. à c. de fleur de sel
250 ml de vinaigre de vin blanc
500 ml d'eau
1 c. à s. d'huile d'olive vierge extra

1 Découpez un morceau de papier sulfurisé de la taille d'une grande casserole.
2 Placez les quartiers de citron dans un grand saladier à moitié rempli d'eau froide.
3 Ôtez les feuilles extérieures des artichauts et coupez la pointe des feuilles restantes. Lavez et pelez les tiges puis placez les artichauts dans le saladier avec le citron.
4 Dans une casserole, mélangez le vin, le thym, l'ail, le jus de citron, le sel, le vinaigre et l'eau. Égouttez les artichauts et placez-les dans la casserole. Couvrez avec le papier sulfurisé et portez à ébullition. Laissez frémir 25 minutes à couvert jusqu'à ce que les artichauts soient tendres. Laissez refroidir 30 minutes. Conservez 125 ml du liquide de cuisson et mélangez-le avec l'huile d'olive (jetez le reste du liquide).
5 Coupez les artichauts en deux dans le sens de la hauteur. Retirez les poils à l'aide d'un petit couteau. Nappez les artichauts d'un filet de liquide de cuisson.

prêt en 60 minutes + refroidissement
pour 6 personnes
suggestion d'accompagnement dip à la ricotta et aux olives vertes (page 156), poisson fumé et antipasti de légumes (page 216).

Dip à la betterave

850 g de betterave sous vide coupée en cubes
1 gousse d'ail coupée en quatre
60 g de crème fraîche
1 c. à s. de tahini
1 c. à s. de jus de citron

1 Mixez ou écrasez les ingrédients pour obtenir une pâte homogène.
2 Vous pouvez servir ce dip avec des crackers de blé complet.

prêt en 5 minutes
pour 2 bols
suggestion d'accompagnement beignets au chèvre et aux pommes
de terre (page 144), blinis au saumon fumé (page 204).

Bouchées au fenouil et au gorgonzola

120 g de gorgonzola émietté
120 g de crème fraîche
2 œufs
1 c. à s. d'huile d'olive
2 petits fenouils (160 g), épluchés et coupés en fines tranches
4 feuilles de pâte filo
huile d'arachide

1 Mélangez le fromage, la crème fraîche et les œufs jusqu'à obtention d'une pâte lisse. Transvasez cette préparation dans un grand pichet.
2 Faites chauffer l'huile d'olive dans une petite poêle. Faites cuire le fenouil en remuant jusqu'à ce qu'il soit tendre.
3 Préchauffez le four à 180 °C ou à 160 °C pour un four à chaleur tournante. Huilez légèrement 24 moules à muffins.
4 Découpez la pâte filo en carrés de 7 cm. Superposez 2 carrés sur le plan de travail. Badigeonnez-les d'huile, ajoutez deux autres carrés de pâte en diagonale de manière à former une étoile et badigeonnez à nouveau d'huile. Tapissez le fond d'un moule à muffins de cette étoile. Répétez l'opération avec le reste de pâte.
5 Répartissez la préparation au fromage dans les moules. Recouvrez de fenouil. Faites cuire environ 15 minutes à four moyen jusqu'à ce que la garniture soit ferme et la pâte légèrement dorée. Laissez reposer 5 minutes.
6 Démoulez et servez chaud.

prêt en 40 minutes
pour 24 bouchées
suggestion d'accompagnement palmiers aux herbes et aux champignons (page 108), mini sandwichs au poulet et aux noix de pécan (page 244).

Palmiers au fromage et aux olives

75 g d'olives vertes farcies aux
piments, finement hachées
100 g de fromage frais ramolli

1 c. à s. de jus de citron
2 feuilles rectangulaires de pâte
feuilletée

1 Dans un petit saladier, mélangez les olives, le fromage frais et le jus de citron.
2 Étalez la moitié de la garniture sur l'une des feuilles de pâte, au centre.
Repliez les deux côtés sur la garniture de sorte qu'ils se rejoignent au centre.
Aplatissez légèrement, puis rabattez encore deux fois chaque côté vers le
centre. Répétez l'opération avec les ingrédients restants. Enveloppez chaque
rouleau dans du film alimentaire et placez 1 heure au réfrigérateur.
3 Préchauffez le four à 220 °C. Graissez légèrement 2 plaques de cuisson.
4 Découpez la pâte en tranches de 1,5 cm. Disposez ces tranches à plat
sur les plaques, à 1,5 cm d'intervalle, et faites cuire 12 minutes à 180 °C.

prêt en 35 minutes + réfrigération
pour 32 palmiers
suggestion d'accompagnement olives chaudes à l'ail, au piment
et à l'origan (page 84), dip au bleu et aux oignons caramélisés (page 172).

Palmiers aux herbes et aux champignons

60 g de beurre
2 c. à s. d'huile d'olive
250 g de champignons de Paris
finement hachés
1 c. à s. de farine

2 c. à s. de ciboulette fraîche
finement ciselée
1 c. à s. d'estragon frais ciselé
¼ de c. à c. de poivre noir moulu
2 feuilles rectangulaires de pâte
feuilletée

1 Faites chauffer le beurre et l'huile d'olive puis faites cuire les champignons.
Ajoutez la farine et laissez revenir 2 minutes, sans cesser de remuer.
Incorporez la ciboulette, l'estragon et le poivre noir. Laissez refroidir.
2 Ensuite, procédez exactement comme la recette ci-dessus.

prêt en 40 minutes + réfrigération
pour 32 palmiers
suggestion d'accompagnement champignons à l'ail (page 87),
dip d'épinards à la turque (page 96).

Dip aux aubergines

2 grosses aubergines (1 kg)
3 gousses d'ail pilées
2 c. à s. de tahini
60 ml de jus de citron
2 c. à s. d'huile d'olive
½ c. à c. de paprika doux

1 Préchauffez le gril du four.
2 Piquez les aubergines avec une fourchette ou une brochette, placez-les sur une plaque légèrement huilée et enfournez-les environ 30 minutes, en les retournant de temps en temps, jusqu'à ce qu'elles soient tendres et leur peau noire. Laissez refroidir 15 minutes.
3 Pelez les aubergines, jetez la peau et faites dégorger la chair dans une passoire pendant 10 minutes. Mixez l'aubergine avec les autres ingrédients.

prêt en 45 minutes + refroidissement
pour 2 bols
suggestion d'accompagnement tortillas à la mexicaine (page 128), samosas à l'agneau (page 304).

Rondelles d'oignons en beignets

75 g de farine de blé
75 g de fécule de maïs
1 œuf légèrement battu
180 ml d'eau
150 g de chapelure
2 oignons blancs en rondelles
huile végétale
sauce chili à la crème
120 g de crème aigre
60 ml de sauce chili douce
2 c. à s. de crème fraîche

1 Dans un saladier, mélangez la farine de blé, la fécule de maïs, l'œuf et l'eau jusqu'à obtention d'une pâte homogène. Versez la chapelure dans un bol.
2 Séparez les rondelles des oignons. Plongez-les une à une dans la pâte, puis retournez-les plusieurs fois dans la chapelure pour bien les enrober. Réservez sur un plateau sans les empiler.
3 Faites chauffer l'huile dans une sauteuse et faites frire les rondelles d'oignons en plusieurs fois jusqu'à ce qu'elles soient dorées. Égouttez-les sur du papier absorbant.
4 Servez chaud avec la sauce chili à la crème.
sauce chili à la crème mélangez la crème aigre, la sauce chili douce et la crème fraîche dans un bol.

prêt en 40 minutes
pour 64 pièces
suggestion d'accompagnement bouchées au fenouil
et au gorgonzola (page 107), brochettes de porc sauce satay (page 361).

Potatoes à la cajun

1 kg de pommes de terre kipfler avec leur peau
2 c. à s. d'huile d'olive
½ c. à c. d'origan séché
2 c. à c. de cumin en poudre
1 c. à c. de paprika fort
½ c. à c. de poivre noir moulu
1 c. à c. de curcuma en poudre
1 c. à c. de coriandre en poudre
½ c. à c. de piment en poudre

1 Préchauffez le four à 200 °C ou à 180 °C pour un four
à chaleur tournante. Huilez légèrement 2 plaques de cuisson.
2 Coupez les pommes de terre en morceaux dans la longueur
et enrobez-les du mélange d'huile d'olive et d'épices.
3 Placez les potatoes sur les plaques de cuisson, en une seule épaisseur,
et faites-les cuire à découvert 40 minutes en les retournant de temps
en temps jusqu'à ce qu'elles soient bien cuites et croustillantes.

prêt en 50 minutes
pour 4 personnes
suggestion d'accompagnement salade César en barquettes
(page 248), tortilla espagnole (page 328).

Caviar d'aubergine

2 grosses aubergines (1 kg)
80 ml de jus de citron
60 ml d'huile d'olive
1 gousse d'ail pilée

1 Piquez les aubergines avec une fourchette ou un couteau pointu. Enfournez-les sur une plaque huilée et faites cuire au four 30 minutes, en les retournant toutes les 10 minutes. Quand la chair est devenue fondante, laissez-les refroidir.
2 Coupez les aubergines en deux, évidez-les et mettez la chair dans un chinois. Jetez la peau. Laissez égoutter 5 minutes.
3 Mixez la chair des aubergines et le reste des ingrédients, puis transvasez dans un bol de service.
4 Servez froid ou à température ambiante avec des gressins.

prêt en 45 minutes
pour 2 bols
suggestion d'accompagnement bœuf au piment jalapeño sur galettes de maïs (page 287), friands aux saucisses (page 332).

Pakoras de pois chiches et raïta à la coriandre

225 g de farine de pois chiches
½ c. à c. de bicarbonate de soude
180 ml d'eau
2 c. à c. d'huile végétale
2 gousses d'ail pilées
½ c. à c. de curcuma en poudre
½ c. à c. de graines de cumin
1 c. à c. de cumin en poudre
½ c. à c. de flocons de piment séché
1 c. à s. de coriandre fraîche ciselée
120 g de petits pois surgelés
2 ciboules finement hachées
40 g de pousses d'épinards coupées en lanières
huile végétale pour friture supplémentaire
raïta à la coriandre
280 g de yaourt à la grecque
2 bouquets de coriandre ciselée
½ c. à c. de cumin en poudre

1 Tamisez la farine de pois chiches et le bicarbonate de soude dans un saladier. Incorporez l'eau en battant doucement pour obtenir une pâte lisse.
2 Faites chauffer l'huile dans une poêle puis faites revenir l'ail et les épices en remuant jusqu'à ce que le mélange embaume. Incorporez-les à la pâte avec la coriandre, les petits pois, les ciboules et les épinards. Mélangez bien.
3 Faites chauffer l'huile pour la friture dans un wok. Faites-y frire des cuillerées de la préparation 5 minutes, en plusieurs tournées, puis égouttez-les sur du papier absorbant.
4 Préparez la raïta à la coriandre.
5 Servez les pakoras accompagnés de raïta.
raïta à la coriandre mixez ou écrasez tous les ingrédients pour obtenir une crème homogène.

prêt en 40 minutes
pour 24 pakoras
suggestion d'accompagnement moules aux piments et au citron vert (page 195), blinis au poulet fumé (page 240).

Tartines à l'ail, à la feta et aux champignons

500 g de champignons creminis
125 ml d'huile d'olive vierge extra
12 tomates cerises coupées en deux
8 tranches de pain croustillant
1 gousse d'ail coupée en deux
2 c. à s. de basilic ciselé
120 g de roquette
80 g de feta émiettée

1 Préchauffez le four à 220 °C ou à 200 °C pour un four à chaleur tournante.

2 Huilez les champignons avec la moitié de l'huile et placez-les sur une plaque de cuisson. Placez 3 demi-tomates cerises sur chaque champignon, côté coupé vers le bas. Faites cuire 10 minutes au four.

3 Pendant ce temps, badigeonnez les tranches de pain avec 2 cuillerées à soupe d'huile d'olive et frottez-les avec l'ail puis faites-les cuire au four pendant 6 minutes.

4 Mixez ou écrasez le basilic avec le reste d'huile pour obtenir une sauce homogène.

5 Garnissez chaque tartine de quelques feuilles de roquette, d'un champignon, de quelques miettes de feta et de quelques gouttes de l'huile au basilic. Vous pouvez aussi ajouter quelques feuilles de basilic frais.

prêt en 20 minutes
pour 8 tartines
suggestion d'accompagnement crevettes en rémoulade (page 199), brochettes yakitori (page 353).

Bruschettas à l'aubergine et aux olives

1 c. à s. d'huile d'olive
1 petit oignon (80 g) finement émincé
2 gousses d'ail pilées
1 branche de céleri (100 g) parée, finement émincée
150 g d'aubergine grillée, finement hachée
150 g de poivron rouge grillé, finement haché
30 g d'olives noires dénoyautées, finement hachées
1 c. à s. de câpres, égouttées et rincées
2 c. à s. de pignons de pin grillés
5 ou 6 branches de basilic frais ciselées
350 g de pain ciabatta
2 c. à s. d'huile d'olive vierge extra supplémentaire

1 Faites chauffer l'huile d'olive dans une poêle moyenne et faites revenir l'oignon, l'ail et le céleri, en remuant, jusqu'à ce que l'oignon soit tendre. Versez dans un grand bol.
2 Ajoutez l'aubergine, le poivron, les olives, les câpres, les pignons et le basilic à la préparation précédente.
3 Coupez le pain légèrement en biais, en 8 tranches. Badigeonnez un côté des tranches avec l'huile d'olive supplémentaire et faites-les griller au four jusqu'à ce qu'elles soient dorées des deux côtés.
4 Garnissez chaque tranche de pain avec le mélange à l'aubergine et ajoutez quelques feuilles de basilic si vous le souhaitez.

prêt en 35 minutes
pour 4 personnes
suggestion d'accompagnement bouchées de risotto (page 167),
barquettes à l'agneau et aux pignons (page 300).

Bruschettas artichaut poivron grillé

1 poivron jaune (200 g)
80 ml d'huile d'olive
3 gousses d'ail pilées
2 baguettes

65 g de pesto
250 g de cœurs d'artichauts
marinés, égouttés et émincés
48 feuilles de persil plat frais

1 Faites griller le poivron coupé en quatre au four jusqu'à ce que la peau commence à noircir. Couvrez-le de papier sulfurisé et laissez reposer 5 minutes. Pelez-le et émincez-le en fines lanières.
2 Mélangez l'huile d'olive et l'ail dans un bol. Coupez les baguettes en tranches de 1 cm d'épaisseur. Frottez chaque tranche d'huile d'olive à l'ail. Faites dorer des deux côtés.
3 Étalez un peu de pesto sur les bruschettas, puis garnissez-les de lanières de poivron et de morceaux d'artichauts. Décorez avec une feuille de persil.

prêt en 55 minutes
pour 48 bruschettas
suggestion d'accompagnement boulettes de risotto mozzarella tomates séchées (page 147), manchons de poulet au zaatar (page 243).

Bruschettas oignons tomates séchées

110 g de tomates séchées à l'huile
80 ml d'huile d'olive
3 gousses d'ail pilées
2 baguettes

huile végétale
48 feuilles de sauge fraîche
340 g de marmelade d'oignons

1 Mélangez l'huile d'olive et l'ail dans un bol. Coupez les baguettes en tranches de 1 cm d'épaisseur. Frottez chaque tranche d'huile d'olive à l'ail. Passez sous le gril chaud.
2 Faites frire la sauge dans l'huile et égouttez dans du papier absorbant.
3 Étalez la marmelade d'oignons sur les bruschettas. Ajoutez une tomate séchée et une feuille de sauge sur chaque bouchée.

prêt en 35 minutes
pour 48 bruschettas
suggestion d'accompagnement bâtonnets de mozzarella panés (page 143), triangles d'agneau épicé aux pignons (page 276).

Fleurs de courgettes farcies au risotto

250 ml de vin blanc sec
500 ml de bouillon de légumes
125 ml d'eau
1 c. à s. d'huile d'olive
1 petit oignon (80 g) finement émincé
1 gousse d'ail pilée
200 g de riz arborio
150 g de champignons de Paris finement émincés
2 feuilles de bette (160 g) parées et finement hachées
20 g de parmesan râpé
48 petites courgettes avec leur fleur

1 Dans une casserole, portez à ébullition le vin, le bouillon et l'eau, puis laissez frémir à couvert.

2 Pendant ce temps, faites chauffer l'huile d'olive dans une grande poêle, faites-y revenir l'ail et l'oignon en remuant. Ajoutez le riz et remuez pour l'enrober d'oignon et d'huile. Versez 250 ml de bouillon chaud, remuez et faites cuire à feu doux jusqu'à ce que le liquide soit absorbé. Répétez cette opération plusieurs fois jusqu'à ce que le riz soit tendre. Le temps de cuisson du riz est de 35 minutes environ.

3 Ajoutez les champignons et les bettes, mélangez et poursuivez la cuisson jusqu'à ce que les champignons soient tendres. Ajoutez le parmesan.

4 Ôtez et jetez les étamines des fleurs, remplissez-les de risotto et tordez le haut des pétales pour les fermer.

5 Faites cuire les courgettes et leurs fleurs, en plusieurs fois, sur un gril en fonte chaud et huilé (ou sous le gril du four ou au barbecue).

prêt en 1 heure 40
pour 48 fleurs
suggestion d'accompagnement salade de mangue verte (page 100), cornets de saumon fumé au fromage frais (page 208).

Tortillas à la mexicaine

425 g de haricots à la mexicaine
en boîte
120 ml de salsa mexicain
80 ml de crème fraîche

tortillas frites
gruyère râpé
quelques feuilles de coriandre
fraîche pour décorer

1 Au robot ou au mixeur, réduisez les haricots en purée.
2 Faites chauffer la purée de haricots avec la salsa. Ajoutez la crème fraîche.
3 Tartinez les tortillas frites de ce mélange et recouvrez de gruyère râpé.
4 Passez à four préchauffé à 200 °C ou à 180 °C pour un four à chaleur tournante jusqu'à ce que le fromage ait fondu. Décorez d'une feuille de coriandre fraîche.

prêt en 20 minutes
pour 4 personnes
suggestion d'accompagnement dip aux piments
et au fromage (page 168), taquitos au chorizo (page 331).

Mini pizzas à la grecque

1 feuille de pâte à pizza
2 c. à s. de coulis de tomates
80 g d'olives noires, dénoyautées
et coupées en deux

150 g de poivrons rouges grillés
70 g de feta émiettée
24 feuilles de basilic

1 Préchauffez le four à 180 °C ou à 160 °C pour un four à chaleur tournante. À l'aide d'un emporte-pièce de 4,5 cm de diamètre, découpez 24 disques dans la pâte à pizza.
2 Disposez ces disques sur les plaques de cuisson, garnissez-les de coulis de tomates, puis ajoutez les olives, les poivrons et la feta. Faites cuire 5 minutes au four. Décorez d'une feuille de basilic.
3 Servez chaud.

prêt en 30 minutes
pour 24 pizzas
suggestion d'accompagnement trio de dips (page 80), brochettes d'agneau et d'halloumi (page 279).

Falafels

135 g de fèves sèches
130 g de pois chiches secs
½ bouquet de persil plat frais grossièrement haché
2 c. à s. de cumin en poudre
2 c. à s. de coriandre en poudre
2 c. à c. de sel
1 c. à c. de bicarbonate de soude
1 petit oignon (80 g) finement haché
1 c. à s. de farine
1 œuf
huile végétale pour friture

1 Laissez tremper les fèves et les pois chiches dans de l'eau
pendant 12 heures, dans 2 bols séparés. Égouttez-les et rincez-les
séparément sous l'eau froide.
2 Plongez les fèves dans une casserole moyenne d'eau bouillante
et laissez-les cuire 5 minutes à découvert après la reprise de l'ébullition.
Égouttez-les.
3 Mixez ou écrasez les fèves, les pois chiches, le persil, le cumin,
la coriandre, le sel, le bicarbonate de soude, l'oignon, la farine et l'œuf
pour obtenir une pâte homogène. Façonnez des petites boulettes
avec 1 cuillerée à soupe de pâte, placez-les sur une plaque, couvrez
et mettez-les 30 minutes au réfrigérateur.
4 Faites chauffer l'huile dans un wok et faites-y frire les falafels,
en plusieurs tournées. Égouttez-les sur du papier absorbant.
Vous pouvez les servir avec du houmous.

prêt en 25 minutes + trempage et réfrigération
pour 25 falafels
suggestion d'accompagnement houmous (page 91),
caviar d'aubergine (page 116).

Tofu poivre et sel

2 blocs de 300 g de tofu ferme
1 c. à s. de grains de poivre noir
2 c. à s. de sel
½ c. à c. de cinq-épices
50 g de farine
huile d'arachide pour la friture
sauce hoisin aux piments
80 ml de sauce hoisin
2 c. à s. de sauce de soja claire
1 c. à s. d'eau chaude
2 petits piments rouges frais émincés

1 Épongez le tofu sur du papier absorbant et détaillez chaque bloc
en 9 rectangles. Recoupez ces derniers en triangles : vous devez en
obtenir 36 en tout. Disposez-les en une seule couche sur du papier
absorbant et laissez-les reposer 20 minutes.
2 Faites sauter les grains de poivre à sec 5 minutes dans une poêle
et pilez-les ensuite en poudre fine avec le sel et le cinq-épices.
Dans un saladier, mélangez cette poudre à la farine.
3 Préparez la sauce hoisin aux piments.
4 Passez les morceaux de tofu dans la farine avant de les faire frire
dans un bain d'huile chaude. Égouttez-les sur du papier absorbant.
Servez le tofu avec la sauce aux piments.
sauce hoisin aux piments fouettez les ingrédients dans un bol.

prêt en 30 minutes
pour 36 pièces
suggestion d'accompagnement canapés au camembert
et aux poires (page 171), rouleaux de printemps (page 357).

si vous aimez le fromage

Assortiment de boulettes de fromage

500 g de neufchâtel
500 g de fromage fermier
2 c. à c. de zeste de citron finement râpé
2 c. à s. de jus de citron
¼ de c. à c. de sel de mer
enrobage au poivre
1 ½ c. à s. de graines de pavot
2 c. à c. de poivre noir concassé
enrobage au persil
5 ou 6 branches de persil plat frais finement hachées
enrobage au sésame
35 g de graines de sésame
enrobage zaatar
1 c. à s. de sumac
1 c. à s. de graines de sésame grillées
1 c. à c. d'origan séché
1 c. à c. de marjolaine séchée
1 c. à c. de paprika doux
2 c. à c. de thym séché

1 Recouvrez 4 plaques de cuisson de papier sulfurisé.
2 Mixez les ingrédients pour obtenir une pâte lisse. Réfrigérez
2 heures jusqu'à ce que la pâte soit assez dure pour être roulée.
3 Façonnez des boulettes de la taille d'une bonne cuillerée à café
de pâte, placez 16 boulettes sur chaque plaque, couvrez et mettez
au réfrigérateur jusqu'à ce qu'elles soient fermes.
4 Mélangez tous les ingrédients de l'enrobage au poivre
dans un petit bol et tous les ingrédients de l'enrobage zaatar
dans un autre bol.
5 Roulez 16 boulettes de fromage dans chaque garniture.
Servez froid.

prêt en 40 minutes + réfrigération
pour 64 boulettes
suggestion d'accompagnement crêpes roulées au saumon
fumé (page 196), mini pizzas au mascarpone et au jambon (page 323).

Bocconcinis marinés et prosciutto

2 gousses d'ail pilées
1 long piment vert finement haché
80 ml d'huile d'olive
40 bocconcinis (600 g)
10 fines tranches de prosciutto (150 g)
1 poignée de basilic frais

1 Mélangez l'ail, le piment et l'huile d'olive dans un saladier.
Ajoutez les bocconcinis et remuez pour bien les enrober du mélange.
Laissez reposer 30 minutes.
2 Coupez les tranches de prosciutto en deux dans le sens de la largeur,
puis chaque morceau en deux dans le sens de la longueur.
3 Égouttez le fromage, réservez la marinade. Entourez chaque boule
de fromage d'un morceau de prosciutto et d'une feuille de basilic.
Faites tenir avec une pique.
4 Servez, nappé de la marinade.

prêt en 20 minutes + repos
pour 40 piques
suggestion d'accompagnement antipasti en brochettes (page 151),
asperges au jambon cru et au fromage (page 319).

Brochettes de tomates, olives et bocconcinis, sauce pesto

40 g de parmesan finement râpé
80 g de pignons de pin grillés
2 gousses d'ail pilées
250 ml d'huile d'olive vierge extra
3 bouquets de basilic frais effeuillés
16 tomates cerises coupées en deux
32 bocconcinis (480 g)
32 olives vertes moyennes dénoyautées
32 longues piques à cocktail

1 Mixez le parmesan, les pignons, l'ail et la moitié de l'huile d'olive jusqu'à obtention d'un mélange homogène. Ajoutez le basilic et le reste de l'huile. Mixez pour obtenir une pâte presque lisse. Versez le pesto dans un bol de service.
2 Piquez ½ tomate, 1 bocconcini et 1 olive sur chaque brochette.
3 Servez les brochettes avec le pesto.

prêt en 25 minutes
pour 32 brochettes
suggestion d'accompagnement cigares au bœuf
et aux figues (page 295), mini sandwichs jambon gruyère (319).

Bâtonnets de mozzarella panés

150 g de farine
150 g de fécule de maïs
2 œufs légèrement battus
375 ml d'eau
100 g de chapelure
500 g de mozzarella
huile végétale pour friture
dip piment pesto
90 g de pesto aux tomates séchées
160 ml de sauce aux piments doux

1 Préparez le dip piment pesto.
2 Travaillez la farine, la fécule de maïs, les œufs et l'eau
jusqu'à obtenir une pâte lisse. Mettez la chapelure dans un petit bol.
3 Coupez la mozzarella en bâtonnets de 1 cm de large.
4 Plongez les bâtonnets, un par un, dans la pâte puis dans la chapelure,
et recommencez pour enrober deux fois chaque bâtonnet.
5 Faites chauffer l'huile dans une poêle et faites-y frire les bâtonnets
pour qu'ils soient bien dorés, en plusieurs tournées. Égouttez-les
sur du papier absorbant.
6 Servez chaud avec le dip piment pesto.
dip piment pesto mélangez les ingrédients dans un petit bol.

prêt en 20 minutes
pour 32 bâtonnets
suggestion d'accompagnement mini pizzas à la grecque (page 128),
côtelettes d'agneau à la compote de tomates (page 296).

Beignets au chèvre et aux pommes de terre

600 g de pommes de terre coupées en morceaux
60 ml de crème fraîche
¼ de c. à c. de noix de muscade
3 œufs légèrement battus
2 jaunes d'œufs légèrement battus
75 g de farine
250 g de fromage de chèvre ferme, émietté
2 c. à s. de persil plat frais grossièrement ciselé
1 pincée de piment de Cayenne
huile végétale pour friture

1 Faites cuire les pommes de terre à l'eau, à la vapeur ou au micro-ondes puis égouttez-les. Écrasez-les dans un grand récipient avec la crème et la noix de muscade pour obtenir une purée lisse. Ajoutez les œufs et les jaunes d'œufs, battez le mélange à l'aide d'une cuillère en bois. Incorporez la farine, le fromage de chèvre, le persil et le piment de Cayenne.
2 Faites chauffer l'huile dans une grande poêle et faites-y frire des cuillerées de pâte, en plusieurs tournées. Égouttez-les sur du papier absorbant.

prêt en 30 minutes
pour 32 beignets
suggestion d'accompagnement brochettes de tomates, olives et bocconcinis, sauce pesto (page 140), noix de Saint-Jacques à la crème (page 235).

Boulettes de risotto mozzarella tomates séchées

500 ml de bouillon de poulet
125 ml d'eau
1 c. à s. d'huile d'olive
1 petit oignon (80 g) finement haché
1 gousse d'ail pilée
150 g de riz arborio
1 c. à s. de basilic frais finement haché
1 c. à s. de persil plat finement haché
2 c. à s. de tomates séchées finement hachées
60 g de mozzarella coupée en cubes de 1 cm
25 g de chapelure
huile végétale pour friture

1 Portez à ébullition le bouillon de poulet et l'eau dans une casserole puis laissez frémir à couvert.

2 Pendant ce temps, faites chauffer l'huile d'olive dans une autre casserole et faites revenir l'oignon et l'ail en remuant jusqu'à ce que l'oignon soit tendre. Versez le riz et remuez pour l'enrober d'oignon et d'huile. Ajoutez 250 ml de bouillon de poulet frémissant et laissez cuire à feu doux jusqu'à ce que le liquide soit absorbé. Répétez cette opération plusieurs fois jusqu'à ce que le riz soit juste tendre et tout le liquide absorbé. Le temps de cuisson total est d'environ 35 minutes. Incorporez les herbes et les tomates séchées, couvrez et laissez reposer 30 minutes.

3 Formez des boulettes de la taille d'une bonne cuillerée à café de risotto et mettez un cube de mozzarella au centre, en appuyant. Faites rouler les boulettes pour les fermer puis passez-les dans la chapelure.

4 Faites chauffer l'huile dans un wok et faites frire les boulettes. Procédez en plusieurs tournées.

prêt en 55 minutes + refroidissement
pour 30 boulettes
suggestion d'accompagnement dip aux piments et au fromage (page 168), tournedos à la béarnaise (page 307).

Canapés au fromage de chèvre et au potiron grillé

2 poivrons rouges (400 g)
60 ml d'huile d'olive
1 gousse d'ail pilée
1 pain pide
200 g de fromage de chèvre ferme, coupé en fines lamelles
48 petites feuilles de basilic

1 Coupez les poivrons en quatre. Jetez les graines et les membranes. Faites griller les poivrons au four jusqu'à ce que la peau noircisse et se boursoufle. Sortez-les du four et mettez-les 5 minutes dans un sachet de congélation fermé (la peau se détachera plus facilement). Pelez-les et émincez-les.
2 Pendant que les poivrons grillent, mélangez l'huile d'olive et l'ail dans un bol. Coupez le pain en deux dans le sens de la longueur, puis en tranches de 1,5 cm d'épaisseur. Frottez un des côtés d'huile à l'ail. Faites griller le pain de ce côté sous le gril du four.
3 Répartissez le fromage de chèvre sur les canapés. Recouvrez de lamelles de poivron. Passez de nouveau sous le gril jusqu'à ce que les canapés soient bien chauds. Décorez d'une feuille de basilic.
4 Servez chaud.

prêt en 45 minutes
pour 48 canapés
suggestion d'accompagnement scones au fromage (page 164), blinis au poulet fumé (page 240).

Fromage frais aux piments doux

250 g de fromage frais
120 g de crème fraîche
125 ml de sauce aux piments doux
5 ou 6 branches de coriandre fraîche grossièrement ciselées

1 À l'aide d'un batteur électrique, mélangez le fromage frais,
la crème fraîche et la sauce aux piments doux dans un petit saladier
pour obtenir une pâte homogène. Ajoutez la coriandre.
2 Servez ce dip avec des lamelles de poivron.

prêt en 5 minutes
pour 2 bols
suggestion d'accompagnement feuilletés au curry et dip au chutney
à la mangue (page 275), toasts au bacon et aux tomates cerises (page 320).

Antipasti en brochettes

6 poivrons rouges moyens (1,2 kg)
200 g de ricotta
50 g de roquette ciselée
2 filets d'anchois égouttés et
finement hachés

50 g de cœurs d'artichauts marinés,
égouttés et finement hachés
½ c. à c. de piment séché
36 grosses olives vertes fourrées
aux anchois ou aux poivrons

1 Détaillez chaque poivron en 6 lanières et faites-les griller au four.
Mettez-les ensuite dans un sac alimentaire, fermez bien et laissez
reposer 5 minutes. Pelez les poivrons et laissez-les tiédir
à température ambiante.
2 Mélangez dans un saladier la ricotta, la roquette, les anchois, les cœurs
d'artichauts et le piment. Posez les lanières de poivron à plat sur le plan
de travail puis garnissez-les d'un peu de farce. Formez un rouleau serré
que vous piquerez avec une olive farcie sur une brochette en bois.

prêt en 60 minutes
pour 36 brochettes
suggestion d'accompagnement trio de pizzas (page 271),
mini brochettes de Saint-Jacques au citron vert (page 231).

Fleurs de courgettes à la ricotta

200 g de ricotta
20 g de parmesan grossièrement râpé
80 g de pignons de pin grillés, hachés et grossièrement broyés
2 c. à c. de zeste de citron râpé
2 c. à c. de jus de citron
1 poignée de ciboulette fraîche ciselée
24 petites courgettes avec fleur attachée (400 g)
1 c. à c. d'huile d'olive
2 gros citrons détaillés en quartiers

1 Préchauffez le four à 200 °C ou à 180 °C pour un four
à chaleur tournante. Huilez 2 plaques de cuisson.
2 Mélangez la ricotta, le parmesan, les pignons de pin, le zeste de citron,
le jus de citron et la ciboulette dans un saladier. Retirez les étamines
des fleurs de courgettes et garnissez ces dernières de farce.
Fermez les pétales en tordant les extrémités.
3 Disposez les courgettes sur les plaques et badigeonnez-les
d'huile d'olive. Faites-les cuire 10 minutes environ.
Présentez avec des quartiers de citron.

prêt en 40 minutes
pour 24 fleurs
suggestion d'accompagnement potatoes à la cajun (page 115),
tartare au saumon (page 220).

Feta grillée

2 morceaux de feta de 150 g chacun
2 c. à s. d'huile d'olive
1 c. à c. de flocons de piment séché
1 c. à c. de feuilles d'origan séché

1 Préchauffez le gril du four.
2 Mettez la feta sur une grande feuille de papier d'aluminium sur une plaque allant au four. Dans un bol, mélangez l'huile d'olive, les flocons de piment et l'origan. Badigeonnez la feta de cette sauce puis faites-la griller 5 minutes. Laissez refroidir 5 minutes et coupez-la en fines tranches.

prêt en 10 minutes
pour 6 personnes
suggestion d'accompagnement pakoras de pois chiches et raïta à la coriandre (page 119), barquettes à l'agneau et aux pignons (page 300).

Dip à la ricotta et aux olives vertes

100 g de ricotta allégée
40 g d'olives vertes dénoyautées, finement émincées
1 gousse d'ail pilée
½ bouquet de ciboulette fraîche ciselée
5 ou 6 branches de persil plat frais ciselées
1 c. à c. de zeste de citron finement râpé
1 c. à s. de jus de citron

1 Mélangez tous les ingrédients dans un bol.
2 Servez, accompagné de bâtonnets de carottes.

prêt en 5 minutes
pour 1 bol
suggestion d'accompagnement mini cheeseburgers (page 308),
raviolis chinois frits (page 373).

Dip à la ricotta et à la feta

200 g de feta
200 g de ricotta
150 g de crème aigre ou de fromage blanc
2 c. à s. de jus de citron
2 c. à s. d'huile d'olive
1 gousse d'ail pilée

1 Mixez la feta, la ricotta, la crème aigre ou le fromage blanc, le jus
de citron, l'huile d'olive et l'ail jusqu'à obtention d'un mélange homogène.
2 Servez froid avec un assortiment de crudités.

prêt en 10 minutes
pour 2 bols
suggestion d'accompagnement trio d'asperges (page 95),
palmiers au fromage et aux olives (page 108).

Tartines de chèvre aux herbes

½ baguette
60 ml d'huile d'olive vierge extra
2 gousses d'ail pilées
150 g de fromage de chèvre frais
1 c. à s. de ciboulette fraîche finement hachée
1 c. à s. de cerfeuil frais grossièrement haché
1 c. à s. d'huile d'olive vierge extra supplémentaire
1 c. à c. de fleur de sel

1 Préchauffez le gril du four.
2 Coupez la baguette en biais en tranches de 1 cm d'épaisseur.
Disposez-les sur une plaque de cuisson et badigeonnez-les du mélange d'huile d'olive et d'ail. Faites-les dorer légèrement des deux côtés sous le gril.
3 Remuez le fromage à l'aide d'une cuillère, incorporez les herbes, nappez de la cuillerée d'huile supplémentaire, en fin filet, et parsemez de fleur de sel. Servez avec les tranches de pain grillé.

prêt en 20 minutes
pour 6 personnes
suggestion d'accompagnement noix de Saint-Jacques à la crème safranée (page 188), frittatas au prosciutto et aux asperges (page 324).

Tartelettes aux asperges et au chèvre

3 rouleaux de pâte brisée
10 g de beurre
150 g d'asperges finement hachées
2 gousses d'ail pilées
1 c. à s. de feuilles de thym frais
150 g de fromage de chèvre frais
2 œufs légèrement battus
160 ml de crème fraîche

1 Préchauffez le four à 200 °C ou à 180 °C pour un four à chaleur tournante. Huilez 24 petits moules à tartelette de 40 ml.
2 Découpez 24 disques de 7 cm de diamètre dans la pâte brisée et garnissez-en les moules.
3 Faites chauffer le beurre dans une petite poêle, faites-y cuire les asperges, l'ail et la moitié du thym en remuant pendant 5 minutes. Répartissez les légumes et le fromage de chèvre dans les fonds de tartelette.
4 Mélangez les œufs et la crème fraîche dans un petit récipient puis versez cette préparation dans chaque moule. Parsemez avec les feuilles de thym restantes.
5 Faites cuire 15 minutes au four, à découvert.

prêt en 40 minutes
pour 24 tartelettes
suggestion d'accompagnement dip aux aubergines (page 111), brochettes de citronnelle au saumon grillé (page 232).

Dentelles aux noix et au parmesan

80 g de parmesan râpé
2 c. à s. de noix finement broyées
5 ou 6 branches de thym frais effeuillées

1 Mélangez le parmesan râpé et les noix.
2 Déposez des cuillerées à café bien pleines de ce mélange
sur la plaque de cuisson chemisée de papier sulfurisé. Saupoudrez
de thym frais. Laissez dorer à four chaud jusqu'à ce que la pâte ait durci.

prêt en 15 minutes
pour 6 personnes
suggestion d'accompagnement carnita de polenta
à la salsa (page 311), asperges au jambon cru et au fromage (page 319).

Toasts de pain de seigle à la ricotta

400 g de ricotta
40 g de parmesan râpé
8 olives noires émincées
1 c. à s. de ciboulette ciselée
1 c. à s. de thym frais
24 petits toasts de pain de seigle

1 Mélangez la ricotta, le parmesan, les olives, la ciboulette et le thym.
2 Servez avec des toasts de pain de seigle.

prêt en 5 minutes
pour 24 toasts
suggestion d'accompagnement salade César en barquettes
(page 248), côtelettes d'agneau tandoori (page 312).

Scones au fromage

225 g de farine à levure incorporée
¼ de c. à c. de piment de Cayenne en poudre
2 c. à c. de sucre en poudre
25 g de parmesan râpé
120 g de gruyère râpé
250 ml de lait
40 g de beurre fondu
beurre de ciboulette
60 g de beurre ramolli
1 c. à s. de ciboulette fraîche finement ciselée

1 Dans un saladier, mélangez la farine, le piment de Cayenne, le sucre, le parmesan et la moitié du gruyère. Versez le lait et remuez jusqu'à ce que le mélange forme une pâte épaisse.
2 Préchauffez le four à 220 °C ou à 200 °C pour un four à chaleur tournante. Huilez et chemisez de papier sulfurisé un moule de 20 cm de diamètre.
3 Malaxez la pâte sur un plan de travail fariné jusqu'à ce qu'elle soit lisse. Aplatissez-la pour former une galette de 2 cm d'épaisseur. À l'aide d'un emporte-pièce de 3,5 cm de diamètre, découpez des disques dans la pâte. Placez-les côte à côte dans le moule.
4 Badigeonnez les scones de beurre fondu. Saupoudrez-les du reste de gruyère et faites-les cuire 20 minutes. Transférez-les sur une plaque pour les faire tiédir.
5 Servez chaud avec du beurre de ciboulette ou coupez les scones dans la hauteur et garnissez-les de beurre de ciboulette.
beurre de ciboulette mélangez le beurre ramolli et la ciboulette dans un bol.

prêt en 30 minutes
pour 24 scones
suggestion d'accompagnement crevettes citron vert coco (page 228), mini tourtes au poulet (page 250).

Bouchées de risotto

180 ml de vin blanc sec
375 ml de bouillon de bœuf
625 ml d'eau
20 g de beurre
1 oignon (150 g) finement haché
2 gousses d'ail pilées
400 g de riz arborio
80 g de parmesan râpé
200 g de chapelure
huile végétale
390 g de sauce tomate en boîte
1 c. à c. de sambal oelek
150 g de jambon découenné
250 g de cœurs d'artichaut en boîte, émincés

1 Faites chauffer le vin, le bouillon de bœuf et l'eau dans une grande casserole à couvert.

2 Faites fondre le beurre dans une autre casserole et faites revenir l'oignon et l'ail jusqu'à ce que l'oignon soit fondant. Ajoutez le riz puis une louche de bouillon chaud. Remuez, à feu doux, jusqu'à ce que le riz ait absorbé tout le liquide. Répétez plusieurs fois l'opération jusqu'à ce qu'il ne reste plus de bouillon. Le riz doit être crémeux (comptez environ 35 minutes de cuisson). Incorporez le parmesan.

3 Étalez le risotto sur un plateau et laissez refroidir.

4 Formez des boulettes de risotto, puis aplatissez-les légèrement avec la paume de la main. Panez-les dans la chapelure.

5 Faites chauffer une grande poêle et faites frire les boulettes en plusieurs fois jusqu'à ce qu'elles soient dorées de chaque côté. Égouttez-les sur du papier absorbant.

6 Préchauffez le four à 220 °C ou à 200 °C pour un four à chaleur tournante. Disposez les boulettes sur les plaques du four huilées. Nappez de sauce tomate et de sambal oelek, puis garnissez d'un petit morceau de jambon et de cœur d'artichaut. Faites cuire 5 minutes. Servez chaud.

prêt en 1 heure
pour 64 bouchées
suggestion d'accompagnement mini frittatas aux courgettes (page 99), bruschetta à la niçoise (page 203).

Dip aux piments et au fromage

2 c. à c. d'huile végétale
½ poivron vert (100 g) finement haché
½ oignon (75 g) finement haché
1 c. à s. de piments jalapeños finement hachés
1 gousse d'ail pilée
200 g de tomates concassées en boîte
250 g de fromage frais ramolli

1 Dans une casserole, faites chauffer l'huile et faites revenir le poivron, l'oignon, les piments et l'ail en remuant jusqu'à ce que l'oignon soit fondant. Ajoutez les tomates et laissez cuire 2 minutes sans cesser de remuer.
2 Incorporez le fromage frais. Battez jusqu'à ce qu'il fonde et que la sauce soit lisse.
3 Servez chaud.

prêt en 20 minutes
pour 2 bols
suggestion d'accompagnement bruschetta artichaut poivron grillé (page 124), taquitos au chorizo (page 331).

Canapés au camembert et aux poires

60 ml d'eau
75 g de poires sèches finement hachés
2 c. à s. de raisins secs finement hachés
1 bâtonnet de cannelle
1 c. à c. de sucre en poudre
200 g de camembert au lait cru
24 tranches de pain noir
1 c. à c. de pistaches finement broyées

1 Mettez dans une petite casserole l'eau, les poires, les raisins secs, la cannelle et le sucre. Portez à ébullition, puis laissez frémir 10 minutes à feu doux sans couvrir. Laissez tiédir la compote à température ambiante ; jetez la cannelle.

2 Découpez le fromage en 24 portions.

3 Disposez 1 morceau de camembert sur chaque tranche de pain et garnissez d'un peu de mélange aux poires séchées. Saupoudrez de pistaches. Disposez les canapés sur un plat de service.

prêt en 30 minutes
pour 24 canapés
suggestion d'accompagnement toasts au bœuf sauté (page 288), salade tricolore (page 339).

Dip au bleu et aux oignons caramélisés

1 c. à s. d'huile d'olive
1 oignon finement haché
1 poire grossièrement hachée
150 g de mayonnaise
125 ml de crème fraîche
150 g de bleu de Bresse

1 Faites chauffer l'huile dans une poêle. Sans cesser de remuer, faites fondre l'oignon 10 minutes jusqu'à ce qu'il soit bien doré et légèrement caramélisé. Ajoutez la poire. Laissez cuire 5 minutes. Laissez refroidir.
2 Mixez la mayonnaise, la crème et le fromage jusqu'à obtention d'une pâte lisse. Transférez dans le saladier de service. Incorporez la préparation à l'oignon.
3 Servez à température ambiante sur des toasts de pain de seigle.

prêt en 35 minutes
pour 2 bols
suggestion d'accompagnement beignets au chèvre et aux pommes de terre (page 144), mini sandwichs au poulet et aux noix de pécan (page 244).

Bouchées de fontina frites

500 g de fontina
75 g de farine
75 g de fécule de maïs
1 œuf
180 ml d'eau
150 g de chapelure
1 c. à s. de persil plat frais ciselé
2 c. à s. d'origan frais ciselé
½ c. à c. de piment de Cayenne
huile végétale pour la friture

1 Détaillez le fromage en morceaux de 1,5 x 4 cm.
2 Mélangez la farine et la fécule de maïs dans un bol, puis incorporez progressivement l'eau et l'œuf mélangés pour obtenir une pâte homogène. Mélangez les herbes, le piment et la chapelure dans un autre bol.
3 Plongez les morceaux de fromage un à un dans la pâte avant de les passer dans la chapelure aux herbes et au piment.
4 Faites-les frire dans un bain d'huile chaude. Égouttez-les sur du papier absorbant.

prêt en 30 minutes
pour 32 bouchées
suggestion d'accompagnement saumon gravlax à la vodka (page 207), blinis au poulet fumé (page 240).

Chouquettes de patates douces au bleu et aux noix

125 g de chair de patate douce coupée en morceaux
185 g de farine à levure incorporée
2 c. à c. de sucre en poudre
100 g de fromage bleu d'Auvergne émietté
50 g de noix grillées, grossièrement broyées
60 ml de lait
beurre au bleu
100 g de beurre ramolli
50 g de fromage bleu ramolli
1 ciboule coupée en tranches fines

1 Préchauffez le four à 220 °C ou à 200 °C pour un four
à chaleur tournante. Huilez un moule rond de 20 cm de diamètre.
2 Faites cuire les patates douces à l'eau ou à la vapeur, puis égouttez-les
et laissez-les tiédir 10 minutes. Réduisez-les en purée puis ajoutez
la farine, le sucre, le fromage et les noix. Versez le lait et mélangez
pour obtenir une pâte collante.
3 Pétrissez délicatement cette pâte sur un plan de travail fariné.
Abaissez-la à la main sur une épaisseur de 2 cm puis découpez
24 disques de 3,5 cm de diamètre que vous déposerez dans le moule
en les serrant bien. Faites-les cuire 20 minutes au four puis laissez-les
refroidir sur une grille.
4 Préparez la sauce au bleu.
5 Formez des bouchées avec les chouquettes de patates douces
en les assemblant deux à deux après les avoir garnies de sauce au bleu.
sauce au bleu travaillez tous les ingrédients en pommade.

prêt en 30 minutes
pour 24 chouquettes
pratique pour préparer la sauce, sortez le beurre et le fromage bleu
au moins 1 heure à température ambiante. Ce sera plus facile
de les travailler en pommade.
suggestion d'accompagnement ailes de poulet panés (page 251),
feuilles de vigne farcies au veau et à la tomate (page 283).

saumon, crevettes et cie

Huîtres au beurre de pesto

125 g de beurre ramolli
1 c. à s. de jus de citron
2 c. à s. de basilic frais grossièrement ciselé
2 c. à s. de pignons de pin grillés
24 huîtres ouvertes

1 Pour préparer le beurre au pesto, mixez ou écrasez le beurre avec le jus de citron et le basilic pour obtenir une pâte lisse, incorporez les pignons, couvrez et placez au réfrigérateur pour que le mélange durcisse.
2 Préchauffez le four à 200 °C ou à 180 °C pour un four à chaleur tournante.
3 Répartissez le beurre sur les huîtres. Passez-les au four 5 minutes environ jusqu'à ce que le beurre soit fondu et les huîtres chaudes.

prêt en 15 minutes + réfrigération
pour 24 huîtres
suggestion d'accompagnement röstis au saumon fumé (page 212), toasts au bacon et aux tomates cerises (page 320).

Huîtres à la salsa tomates poivrons

2 petites tomates (180 g), épépinées et coupées en dés
1 petit oignon rouge (100 g) finement émincé
1 petit poivron vert (150 g) finement haché
60 ml de jus de tomate
60 ml de jus de citron
1 c. à c. de Tabasco
1 c. à s. d'huile d'olive
2 gousses d'ail pilées
24 huîtres ouvertes

1 Mélangez les tomates, l'oignon, le poivron, le jus de tomate, le jus de citron, le Tabasco, l'huile d'olive et l'ail dans un bol.
2 Servez les huîtres nappées de cette salsa.

prêt en 10 minutes
pour 24 huîtres
suggestion d'accompagnement canapés croustillants au tartare de thon (page 200), friands aux saucisses (page 332).

Huîtres à la mangue et au piment

12 huîtres
½ petite mangue ferme (150 g) coupée en dés
1 petit piment rouge émincé
1 c. à c. de jus de citron vert

1 Ouvrez les huîtres et détachez-les de leur coquille, videz l'eau. Remettez les huîtres dans leur coquille et calez-les sur un plat de présentation.
2 Mélangez le reste des ingrédients dans un bol et répartissez ce mélange sur les huîtres.

prêt en 10 minutes
pour 12 huîtres
suggestion d'accompagnement blinis aux œufs de saumon (page 223), mini sandwichs au bœuf (page 292).

Moules à l'avocat et au gingembre confit

12 grosses moules
½ avocat moyen (125 g) coupé en dés
1 c. à c. de gingembre confit finement haché
1 échalote (25 g) émincée
1 c. à c. de jus de citron vert

1 Nettoyez les moules et mettez-les dans une casserole. Couvrez.
Faites-les ouvrir en les laissant 5 minutes à feu vif. Égouttez-les.
Jetez la coquille du haut, décrochez la chair à l'aide d'une petite cuillère
mais laissez-la dans la coquille du bas. Disposez les moules sur l'assiette
de service. Couvrez et réfrigérez.
2 Mélangez le reste des ingrédients dans un bol et répartissez
cette préparation sur les moules.

prêt en 20 minutes
pour 12 moules
suggestion d'accompagnement noix de Saint-Jacques
à l'estragon et au citron vert (page 191), mini pizzas au mascarpone
et au jambon (page 323).

Noix de Saint-Jacques à la crème safranée

12 noix de Saint-Jacques dans leur coquille
1 c. à c. d'huile d'olive
1 petit oignon (80 g) coupé en tranches fines
2 c. à c. de zeste de citron râpé
1 pincée de filaments de safran
160 ml de crème fraîche
1 c. à c. de jus de citron
2 c. à c. d'œufs de saumon

1 Ouvrez les coquillages et sortez les noix de Saint-Jacques. Lavez bien les coquilles inférieures et séchez-les. Disposez-les sur le plat de service.
2 Rincez les noix à l'eau froide, éliminez le corail. Séchez-les délicatement avec du papier absorbant.
3 Versez l'huile d'olive dans une poêle et faites-y revenir l'oignon. Ajoutez le zeste de citron, le safran et la crème fraîche, puis portez à ébullition. Baissez le feu et laissez mijoter 5 minutes pour que le liquide réduise d'un tiers. Faites tiédir 30 minutes avant d'incorporer le jus de citron. Laissez reposer encore 10 minutes. Passez ensuite la crème dans un tamis puis réchauffez-la à feu très doux dans la poêle : elle ne doit pas bouillir.
4 Saisissez les noix de Saint-Jacques dans une poêle chaude légèrement huilée (comptez environ 1 minute de chaque côté pour qu'elles soient juste cuites et légèrement dorées).
5 Remettez-les dans leurs coquilles et nappez-les de crème chaude. Décorez d'œufs de saumon.

prêt en 15 minutes
pour 12 noix
suggestion d'accompagnement blinis aux œufs de saumon (page 223), barquettes de trévise au crabe (page 224).

Noix de Saint-Jacques à l'estragon et au citron vert

24 noix de Saint-Jacques sans corail (600 g)
2 c. à s. d'estragon frais grossièrement ciselé
1 c. à s. de citron vert
1 c. à s. d'huile d'olive
3 citrons verts

1 Mettez les noix de Saint-Jacques, l'estragon, le jus de citron vert et l'huile d'olive dans un saladier. Remuez bien et laissez mariner 15 minutes.
2 Coupez chaque citron vert en huit quartiers. Enfilez une noix de Saint-Jacques et un quartier de citron sur chaque brochette. Faites cuire les brochettes sur un gril huilé et préchauffé, au gril du four ou au barbecue.
3 Servez chaud.

prêt en 25 minutes
pour 24 brochettes
suggestion d'accompagnement mini pizzas à la grecque (page 128), saumon gravlax à la vodka (page 207).

Huîtres au mirin et au wasabi

12 huîtres
2 c. à c. de mirin
1 c. à c. de vin de riz chinois
1 c. à c. de sauce soja
½ c. à c. de pâte wasabi
1 ciboule coupée en tranches fines
30 g de concombre épépiné et coupé en dés

1 Sortez les huîtres de leurs coquilles, lavez et séchez celles-ci.
Remettez-y les mollusques puis disposez les coquilles sur un plat
de service.
2 Portez à ébullition le mirin, le vin de riz, la sauce soja et la pâte wasabi.
Baissez le feu et laissez frémir 2 minutes.
3 Versez la sauce chaude sur les huîtres et décorez de ciboule
et de concombre.

prêt en 15 minutes
pour 12 huîtres
suggestion d'accompagnement mini brochettes de Saint-Jacques
au citron vert (page 231), feuilletés aux saucisses de Francfort (page 336).

Moules au piment et au citron vert

32 grosses moules (moules d'Espagne), cuites
60 ml de sauce aux piments doux
1 c. à s. de tequila
80 ml de jus de citron vert
1 c. à s. de coriandre fraîche finement ciselée

1 Détachez les moules de leur coquille,
nettoyez bien ces dernières, puis remettez-y les moules.
2 Mélangez les autres ingrédients dans un bol.
Répartissez la sauce sur les moules.
3 Servez froid.

prêt en 10 minutes
pour 32 moules
suggestion d'accompagnement ailes de poulet au soja
et au citron vert (page 247), cornets californiens (page 366).

Crêpes roulées au saumon fumé

75 g de farine
2 œufs
2 c. à c. d'huile végétale
250 ml de lait
2 c. à c. de câpres égouttées, rincées et hachées
2 c. à c. d'aneth frais ciselé
1 c. à c. de zeste de citron râpé
1 gousse d'ail pilée
250 g de mascarpone
500 g de saumon fumé coupé en tranches fines
40 brins d'aneth frais

1 Versez la farine dans un saladier et faites un puits au centre.
Battez les œufs avec l'huile et le lait, puis incorporez-les progressivement
à la farine. Laissez reposer la pâte 30 minutes.
2 Versez environ 60 ml de pâte dans une crêpière antiadhésive
légèrement huilée, en inclinant cette dernière en tous sens pour étaler
la pâte. Faites cuire la crêpe à feu doux en décollant délicatement
les bords puis retournez-la pour qu'elle dore sur l'autre face. Préparez
ainsi 5 crêpes.
3 Mélangez dans un saladier les câpres, l'aneth, le zeste de citron, l'ail
et le mascarpone. Tartinez 1 crêpe de 2 cuillerées à soupe de ce mélange
puis déposez-y 100 g de saumon. Roulez étroitement la crêpe. Répétez
l'opération avec le reste des ingrédients. Découpez chaque crêpe
en 8 petits rouleaux. Décorez chaque rouleau avec 1 brin d'aneth.

prêt en 50 minutes
pour 40 pièces
suggestion d'accompagnement crevettes en rémoulade (page 199),
samosas de bœuf (page 303).

Crevettes en rémoulade

3 jaunes d'œufs
1 c. à s. de vinaigre de vin blanc
1 c. à s. de moutarde à l'ancienne
60 ml d'eau
330 ml d'huile végétale
2 c. à s. de câpres égouttées, finement hachées
2 c. à s. d'aneth frais, grossièrement ciselé
48 crevettes roses moyennes, cuites

1 Au fouet ou au mixeur, mélangez les jaunes d'œufs, le vinaigre,
la moutarde et l'eau jusqu'à obtention d'une pâte lisse. Toujours
en remuant, incorporez l'huile petit à petit en un filet fin et régulier.
Mixez jusqu'à épaississement puis versez dans un bol de service.
Ajoutez les câpres et l'aneth. Placez au réfrigérateur jusqu'à
ce que la rémoulade soit froide.
2 Décortiquez les crevettes en gardant les queues intactes.
Disposez-les sur le plat de service.
3 Servez froid avec la sauce rémoulade présentée à part,
dans une coupelle.

prêt en 25 minutes
pour 48 pièces
suggestion d'accompagnement dip au crabe (page 215),
ura-maki de Sidney (page 369).

Canapés croustillants au tartare de thon

100 g de thon frais finement haché
50 g d'oignon rouge coupé en dés
1 c. à c. de menthe fraîche ciselée
1 c. à c. de coriandre fraîche ciselée
1 c. à c. de jus de citron vert
1 c. à c. de nuoc-mâm
6 carrés de pâte à wontons (raviolis chinois)
huile végétale pour la friture
24 feuilles de coriandre fraîche

1 Dans un saladier, mélangez le thon, l'oignon, la menthe, la coriandre, le jus de citron vert et le nuoc-mâm.
2 Découpez chaque feuille de pâte à raviolis en 4 triangles. Faites-les frire à l'huile dans une grande poêle jusqu'à ce qu'ils croustillent. Égouttez-les sur du papier absorbant.
3 Garnissez-les de tartare de thon et décorez de coriandre avant de les disposer sur un plat de présentation.

prêt en 30 minutes
pour 24 canapés
suggestion d'accompagnement palmiers au fromage et aux olives (page 108), empanadas au poulet et aux olives (page 260).

Toasts de pita aux rillettes de thon

180 g de thon en boîte, émietté
1 c. à s. de yaourt
1 c. à s. de mayonnaise
1 c. à s. de raifort

1 ciboule finement hachée
2 branches de persil haché
pita grillé coupé en triangles

1 Mélangez au fouet ou au mixeur le thon avec le yaourt, la mayonnaise et le raifort. Ajoutez la ciboule et le persil.
2 Servez sur des triangles de pita grillé.

prêt en 15 minutes
pour 8 personnes
suggestion d'accompagnement chouquettes de patates douces
au bleu et aux noix (page 176), brochettes de thon au sésame (page 349).

Bruschetta à la niçoise

80 ml d'huile d'olive
3 gousses d'ail pilées
2 petites baguettes
1 c. à s. de petites câpres
1 tomate (75 g), épépinée
et coupée en petits dés
1 branche de céleri (100 g)
parée et coupée en petits dés

30 g d'olives noires
dénoyautées, hachées
180 g de thon à l'huile d'olive,
égoutté et émietté
5 filets d'anchois hachés
1 petit oignon rouge (100 g)
finement haché
2 c. à s. de jus de citron

1 Mélangez l'huile d'olive et l'ail dans un petit bol.
2 Préchauffez le gril du four.
3 Coupez les croûtons des baguettes, puis coupez les baguettes
en tranches de 1 cm d'épaisseur. Badigeonnez les deux côtés de chaque
morceau avec l'huile à l'ail, puis faites-les dorer légèrement au four.
4 Mélangez les ingrédients restants dans un bol puis garnissez
chaque bruschetta d'un peu de cette préparation.

prêt en 45 minutes
pour 48 bruschettas
suggestion d'accompagnement caviar d'aubergine (page 116),
ailes de poulet au miel et au soja (page 247).

Blinis au saumon fumé

16 blinis
60 g de crème aigre
1 c. à c. d'aneth ciselé
1 c. à s. d'oignon rouge finement haché
1 c. à c. de zeste de citron râpé
¼ de c. à c. de poivre noir du moulin
1 c. à s. de câpres égouttées, finement hachées
100 g de tranches de saumon fumé, finement émincées
16 brins d'aneth frais

1 Mélangez la crème aigre, l'aneth, l'oignon,
le zeste de citron, le poivre et les câpres dans un bol.
2 Tartinez les blinis de cette préparation. Recouvrez de saumon
et décorez d'aneth.
3 Servez à température ambiante.

prêt en 10 minutes
pour 16 blinis
suggestion d'accompagnement scones au fromage (page 164),
brochettes de porc caramélisé aux pommes (page 299).

Toasts aux crevettes, sauce à l'ail et aux tomates séchées

200 g de mayonnaise
2 c. à s. de purée de tomates séchées
2 gousses d'ail pilées

1 baguette coupée en tranches
20 crevettes cuites décortiquées
20 feuilles de basilic frais

1 Mélangez la mayonnaise, la purée de tomates séchées et l'ail.
2 Passez les tranches de baguette 5 minutes sous le gril du four préchauffé.
3 Étalez la préparation sur les tranches de pain grillé et décorez avec 1 crevette et 1 feuille de basilic.

prêt en 10 minutes
pour 20 toasts
suggestion d'accompagnement dip d'épinards à la turque (page 96), ailes de poulet au soja et au citron vert (page 247).

Saumon gravlax à la vodka

1 filet de saumon de 300 g avec peau, mariné 24 heures dans le mélange de 1 c. à s. de sel de mer, 1 c. à c. de poivre noir, 1 c. à s. de sucre, 1 c. à s. de vodka

sauce à la crème
80 g de crème fraîche
2 c. à c. de petites câpres, rincées et égouttées
2 c. à c. de jus de citron

2 c. à c. de cornichons, égouttés et finement hachés
½ petit oignon rouge (50 g) finement émincé

1 Préparez la sauce à la crème.
2 Coupez le poisson en fines tranches. Garnissez les toasts de sauce à la crème et d'une tranche de saumon.
sauce à la crème mélangez tous les ingrédients dans un bol.

prêt en 10 minutes + réfrigération
pour 24 toasts
suggestion d'accompagnement brochettes yakitori (page 353), maki au thon et au concombre (page 365).

207

Cornets de saumon fumé au fromage frais

800 g de saumon fumé en tranches
300 ml de crème fraîche
125 g de fromage frais
50 g de pistaches grillées finement hachées
2 c. à s. de ciboulette ciselée
48 jeunes pousses d'épinards (100 g)

1 Hachez 100 g de saumon. Ajoutez la crème fraîche et le fromage frais. Mixez jusqu'à obtention d'une pâte lisse. Versez ce mélange dans un saladier, incorporez les pistaches et la ciboulette. Laissez raffermir au réfrigérateur.
2 Coupez les tranches de saumon en deux dans le sens de la largeur. Déposez une feuille d'épinard sur chaque tranche, garnissez avec 1 cuillerée à café de mélange au fromage frais. Roulez le saumon en forme de cornets.
3 Disposez les cornets sur le plat de service. Placez-les 2 heures au réfrigérateur.
4 Servez froid.

prêt en 40 minutes
pour 48 cornets
suggestion d'accompagnement mini pizzas à la grecque (page 128), dip au crabe (page 215).

Brochettes de gambas et de poulpes

24 grosses gambas crues (1,7 kg)
1 c. à c. d'huile d'olive
1 c. à c. de sel
1 c. à c. de poivre noir concassé
2 gousses d'ail pilées
100 ml de jus de citron vert
1,5 kg de très petits poulpes nettoyés et coupés en deux
60 ml de kecap manis
2 c. à c. d'huile de sésame
10 cm de citronnelle (20 g) finement hachée

1 Décortiquez les gambas en gardant les queues intactes. Mettez dans un saladier en verre l'huile d'olive, le sel, le poivre, l'ail et la moitié du jus de citron vert. Ajoutez les gambas et mélangez bien pour les enrober de marinade. Couvrez et réfrigérez 3 heures ou toute une nuit.
2 Mettez dans un autre saladier l'huile de sésame, la citronnelle, le kecap manis et le reste du jus de citron. Ajoutez les poulpes et mélangez bien. Couvrez et laissez 3 heures au moins au réfrigérateur.
3 Enfilez trois gambas par brochette et faites-les cuire au barbecue ou sur un gril en fonte huilé.
4 Égouttez les poulpes et réservez la marinade. Enfilez 4 morceaux de poulpe sur chaque brochette et faites-les cuire au barbecue ou sur une plaque en fonte huilée, en les badigeonnant fréquemment de marinade.
5 Servez les brochettes sans attendre.

prêt en 50 minutes + marinade
pour 8 brochettes de gambas et 8 brochettes de poulpes
pratique faites tremper 16 brochettes de bambou dans l'eau 1 heure au moins avant de vous en servir pour éviter qu'elles ne se fendent et ne brûlent.
suggestion d'accompagnement dip au crabe (page 215), bouchées de crevettes à la vapeur (page 374).

Röstis au saumon fumé

800 g de pommes de terre
15 g de beurre fondu
1 c. à s. d'aneth frais finement ciselé
huile végétale pour friture
200 g de crème fraîche
200 g de saumon fumé
brins d'aneth pour décorer

1 Râpez grossièrement les pommes de terre et pressez-les
pour retirer le maximum de liquide. Mélangez les pommes de terre,
le beurre et l'aneth dans un saladier.
2 Faites chauffer l'huile dans une grande poêle, formez des petites
galettes de pommes de terre et faites-les cuire, en plusieurs tournées,
jusqu'à ce qu'elles soient dorées des deux côtés. Égouttez-les
sur du papier absorbant.
3 Répartissez la crème fraîche et le saumon sur les röstis
et servez garni d'aneth.

prêt en 55 minutes
pour 24 röstis
suggestion d'accompagnement rondelles d'oignons
en beignets (page 112), bouchées vapeur au poulet (page 345).

Dip au crabe

200 g de fromage frais
75 g de mayonnaise
2 c. à s. de jus de citron vert
1 c. à s. de sauce chili douce
1 cornichon finement haché
340 g de chair de crabe en boîte, égouttée et émiettée
2 c. à s. de coriandre fraîche finement ciselée

1 À l'aide d'un batteur électrique, mixez le fromage frais,
la mayonnaise, le jus de citron vert et la sauce chili douce pour
obtenir un mélange homogène. Versez-le dans un bol de service
et ajoutez les ingrédients restants.
2 Servez le dip frais avec des tranches de pain grillé.

prêt en 10 minutes
pour 2 bols
suggestion d'accompagnement tartines à l'ail, à la feta
et aux champignons (page 120), mini sandwichs jambon gruyère (page 319).

Poisson fumé et antipasti de légumes

80 g de crème fraîche
2 c. à c. de vinaigre de framboise
1 c. à s. de ciboulette fraîche grossièrement ciselée
1 gousse d'ail pilée
1 grosse courgette jaune (150 g)
1 c. à s. de vinaigre de framboise supplémentaire
60 ml d'huile d'olive vierge extra
45 g d'amandes effilées grillées
150 g de tomates séchées égouttées
1 gros avocat (320 g)
1 c. à s. de jus de citron
300 g de morceaux de truite saumonée fumée à chaud
200 g de saumon fumé coupé en tranches
16 fruits de câprier (80 g) égouttés
1 gros citron (180 g) coupé en quartiers
170 g de tranches de bagel à l'ail grillé

1 Mélangez la crème fraîche, le vinaigre de framboise, la ciboulette et l'ail dans un petit bol, couvrez et placez au réfrigérateur jusqu'au moment de servir.
2 À l'aide d'un couteau économe, coupez des rubans de courgette dans la longueur et placez-les dans un bol avec le vinaigre de framboise supplémentaire et 2 cuillerées à soupe d'huile d'olive.
3 Mélangez les amandes, les tomates séchées et le reste de l'huile dans un bol.
4 Coupez l'avocat en grosses lamelles et nappez-le de jus de citron.
5 Émiettez la truite.
6 Garnissez un plat avec les rubans de courgette, le mélange tomates-amandes, l'avocat, la truite, le saumon et les fruits de câprier. Servez accompagné de la crème, de quartiers de citron et de bagel.

prêt en 35 minutes
pour 4 personnes
suggestion d'accompagnement trio de pizzas (page 271), chips tortillas saveur pizza (page 323).

Petite friture

150 g de farine
5 ou 6 branches de basilic frais grossièrement ciselées
1 c. à c. de sel à l'ail
500 g de petits poissons pour friture (éperlans par exemple)
huile végétale pour friture
dip épicé à la mayonnaise
300 g de mayonnaise
2 gousses d'ail pilées
2 c. à s. de jus de citron
1 c. à s. de câpres égouttées, rincées et finement hachées
1 c. à s. de persil plat frais grossièrement ciselé

1 Préparez le dip épicé à la mayonnaise.
2 Mélangez la farine, le basilic et le sel à l'ail dans un grand récipient.
Roulez les poissons dans la farine pour bien les enrober, en plusieurs
tournées.
3 Faites chauffer l'huile dans un wok et faites-y frire les poissons,
en plusieurs tournées, pour qu'ils soient cuits et dorés. Égouttez-les
sur du papier absorbant. Servez avec le dip épicé à la mayonnaise.
dip épicé à la mayonnaise mélangez tous les ingrédients dans un bol.

prêt en 25 minutes
pour 4 personnes
suggestion d'accompagnement toasts aux crevettes,
sauce à l'ail et aux tomates séchées (page 207), mini pizzas
au mascarpone et au jambon (page 323).

Tartare de saumon

2 c. à s. de jus de citron
2 c. à c. de raifort
1 c. à s. de câpres égouttées et finement hachées
2 c. à s. de ciboulette finement ciselée
250 g de saumon parfaitement frais, finement haché
1 petit oignon rouge (80 g) finement haché
40 mini toasts
65 g de crème fraîche
40 brins d'aneth frais

1 Mélangez le jus de citron, le raifort, les câpres
et la ciboulette dans un saladier. Incorporez le saumon
et l'oignon en remuant délicatement.
2 Répartissez le tartare de saumon sur les toasts.
Garnissez de crème fraîche et d'aneth.
3 Servez froid.

prêt en 30 minutes
pour 40 pièces
suggestion d'accompagnement fleurs de courgettes farcies
au risotto (page 127), brochettes de crevettes et de poulpes (page 211).

Blinis aux œufs de saumon

16 blinis
65 g de crème fraîche
32 petits brins de ciboulette
50 g d'œufs de saumon

1 Répartissez la crème fraîche, la ciboulette
et les œufs de saumon sur les blinis.
2 Servez à température ambiante.

prêt en 10 minutes
pour 16 blinis
suggestion d'accompagnement bouchées de concombre
à l'avocat (page 91), crostinis de bœuf et oignons caramélisés (page 272).

Barquettes de trévise au crabe

60 ml d'eau
60 ml de jus de citron vert
2 c. à s. de sucre en poudre
2 piments rouges épépinés, finement hachés
500 g de chair de crabe fraîche
1 concombre libanais (130 g), épépiné et finement haché
1 petit poivron rouge finement haché
2 ciboules émincées
6 salades trévises

1 Mettez l'eau, le jus de citron vert, le sucre et le piment dans une casserole. Faites chauffer en remuant, sans porter à ébullition, jusqu'à dissolution du sucre. Portez à ébullition, retirez du feu et laissez refroidir. Mettez cette sauce au réfrigérateur pour qu'elle soit bien froide.
2 Mélangez le crabe, le concombre, le poivron, les ciboules et la sauce refroidie dans un saladier.
3 Nettoyez les trévises et séparez les feuilles. Placez 1 cuillerée à café pleine de salade de crabe sur chaque feuille.
4 Servez froid.

prêt en 25 minutes
pour 64 barquettes
note vous pouvez remplacer la trévise par des feuilles d'endives.
suggestion d'accompagnement moules au piment et au citron vert (page 195), crevettes thaïes à la noix de coco (page 377).

Crevettes à l'orange et au miel

24 crevettes moyennes crues (1 kg)
2 c. à c. d'huile d'olive
1 c. à c. de zeste d'orange râpé
2 c. à c. de jus d'orange
2 c. à c. de miel
sauce au gingembre et au soja
80 ml de sauce soja
2 c. à c. de sucre en poudre
1 cm de gingembre frais (5 g) râpé

1 Décortiquez les crevettes en gardant les queues intactes. Préparez une marinade avec l'huile d'olive, le zeste d'orange, le jus d'orange et la moitié du miel. Ajoutez les crevettes et mélangez bien. Couvrez et réfrigérez 1 heure.
2 Préparez la sauce au gingembre et au soja.
3 Faites cuire les crevettes égouttées sur une plaque en fonte huilée, en les badigeonnant du reste de miel.
4 Servez les crevettes avec la sauce.
sauce au gingembre et au soja dans une casserole, à feu doux, mélangez les ingrédients en remuant pour faire dissoudre le sucre.

prêt en 25 minutes + marinade
pour 24 crevettes
suggestion d'accompagnement olives chaudes à l'ail, au piment et à l'origan (page 84), nems au porc et aux champignons (page 358).

Crevettes citron vert coco

24 grosses crevettes crues (1 kg)
80 ml de jus de citron vert
125 ml de lait de coco
75 g de farine
115 g de noix de coco râpée
huile d'arachide pour friture
dip à la cacahuète
45 g de cacahuètes grillées non salées
80 ml de jus de citron vert
60 ml de bouillon de poulet
60 ml de lait de coco
2 c. à s. de beurre de cacahuètes sans morceaux
1 c. à s. de sauce aux piments doux

1 Décortiquez les crevettes et ôtez le nerf en laissant les queues intactes.
Mélangez le jus de citron vert et le lait de coco, incorporez les crevettes
et remuez pour les enrober de la marinade. Couvrez et réfrigérez 1 heure.
2 Pendant ce temps, préparez le dip à la cacahuète.
3 Égouttez les crevettes et conservez la marinade. En les tenant
par la queue, enrobez-les de farine puis plongez-les dans la marinade
et enfin dans la noix de coco râpée.
4 Faites chauffer l'huile dans un wok et faites frire les crevettes,
en plusieurs tournées, jusqu'à ce qu'elles soient dorées. Égouttez.
Servez, accompagné du dip à la cacahuète chaud.
dip à la cacahuète mélangez les cacahuètes, le jus de citron vert,
le bouillon et le lait de coco dans une petite casserole, portez à ébullition.
Faites frémir 5 minutes à découvert. Mixez ou mélangez avec le beurre
de cacahuètes et la sauce aux piments doux pour obtenir un mélange
homogène.

prêt en 30 minutes + marinade
pour 24 crevettes
suggestion d'accompagnement mini brochettes de Saint-Jacques
au citron vert (page 231), brochettes de porc sauce satay (page 361).

Mini brochettes de Saint-Jacques au citron vert

2 c. à s. d'huile végétale
4 cm de gingembre frais (20 g) râpé
3 gousses d'ail pilées
24 noix de Saint-Jacques sans corail (600 g)
3 citrons verts
12 feuilles fraîches de combava, coupées en deux dans le sens de la longueur
24 piques à cocktail

1 Mélangez l'huile, le gingembre et l'ail dans un bol, incorporez les noix de Saint-Jacques et remuez pour les enrober de marinade. Couvrez et réfrigérez 30 minutes.
2 Pendant ce temps, coupez chaque citron vert en huit. Piquez un morceau de citron et ½ feuille de combava sur chaque pique.
3 Faites cuire les noix de Saint-Jacques sur un gril en fonte chaud huilé (ou sous le gril du four ou au barbecue) pendant 5 minutes pour qu'elles soient cuites à souhait. Laissez refroidir 5 minutes puis piquez une noix sur chaque pique.

prêt en 20 minutes + marinade
pour 24 brochettes
suggestion d'accompagnement blinis au saumon fumé (page 204), cigares au bœuf et aux figues (page 295).

Brochettes de citronnelle au saumon grillé

10 tiges de citronnelle de 30 cm
2 kg de darnes de saumon
160 g de crème fraîche
1 c. à s. d'aneth frais grossièrement haché
1 c. à s. de jus de citron

1 Retirez les feuilles externes des tiges de citronelle et coupez leurs extrémités. Coupez les tiges en deux dans le sens de la longueur. Recoupez les tiges ainsi obtenues dans le sens de la largeur pour en faire 2 brochettes. Vous obtenez ainsi 40 brochettes de citronnelle.
2 Débarrassez le poisson de sa peau et des arêtes. Découpez-le en 40 cubes de 3 cm. Avec la pointe d'un couteau, entaillez le centre de chaque morceau de poisson, puis enfilez les morceaux sur la brochette. Disposez les brochettes sur la plaque de cuisson huilée et préchauffée. Passez au gril jusqu'à ce que le saumon soit légèrement doré et cuit à votre convenance.
3 Pendant ce temps, mélangez la crème fraîche, l'aneth et le jus de citron dans un bol.
4 Servez chaud avec la sauce à la crème.

prêt en 50 minutes
pour 40 brochettes
suggestion d'accompagnement noix de Saint-Jacques à l'estragon et au citron vert (page 191), ura-maki de Sydney (page 369).

Noix de Saint-Jacques à la crème

24 noix de Saint-Jacques sans corail (600 g)
125 ml de vin blanc sec
125 ml de crème fraîche
1 c. à s. de feuilles de cerfeuil frais

1 Dans une petite poêle, portez le vin à ébullition. Baissez le feu
et laissez réduire de moitié. En fouettant, ajoutez la crème fraîche
et portez de nouveau à ébullition, puis laissez mijoter 5 minutes à découvert
jusqu'à ce que le liquide ait réduit des deux tiers. Ajoutez les noix
de Saint-Jacques et laissez cuire 1 minute. Retirez du feu.
2 Déposez une noix dans chaque cuillère en porcelaine. Placez
les cuillères sur un petit plateau avant de verser la sauce.
Décorez de feuilles de cerfeuil.
3 Servez chaud.

prêt en 20 minutes
pour 24 noix
suggestion d'accompagnement trio de dips (page 80),
brochettes de citronnelle au saumon grillé (page 232).

Poulpes au piment et à l'ail

1 kg de petits poulpes nettoyés, coupés en deux
60 ml d'huile d'olive
5 gousses d'ail pilées
60 ml de jus de citron
2 petits piments thaïs rouges finement hachés
quartiers de citron vert pour servir

1 Mélangez les ingrédients dans un grand récipient et mettez-les
3 heures au réfrigérateur.
2 Faites cuire les poulpes, en plusieurs fois, sur un gril en fonte
chaud huilé (ou au barbecue ou sous le gril du four) jusqu'à
ce qu'ils soient tendres.
3 Servez avec des quartiers de citron vert.

prêt en 20 minutes + marinade
pour 4 personnes
suggestion d'accompagnement taquitos au chorizo (page 331),
brochettes de poisson cru à la sauce thaïe (page 354).

bouchées au poulet

Blinis au poulet fumé

50 g de farine de sarrasin
2 c. à c. de farine
½ c. à c. de levure chimique
1 œuf
125 ml de babeurre
20 g de beurre fondu
100 g de poulet fumé coupé en petits dés
1 petite pomme verte (130 g) coupée en dés
2 ciboules coupées en tranches fines
75 g de mayonnaise
2 c. à c. de grains de moutarde
1 c. à c. de ciboulette fraîche ciselée

1 Tamisez les deux farines et la levure dans un petit saladier, puis incorporez au fouet le mélange d'œuf et de babeurre jusqu'à ce que la pâte soit homogène. Ajoutez le beurre fondu.

2 Formez des blinis dans une poêle chaude légèrement huilée (2 cuillerées à café de pâte pour chaque blini) et faites-les dorer sur les deux faces. Procédez en plusieurs tournées. Vous devez obtenir 24 blinis. Laissez-les tiédir sur une grille.

3 Mélangez le reste des ingrédients dans un saladier.

4 Garnissez chaque blinis de salade au poulet fumé et disposez-les sur un plat de service. Décorez de ciboulette.

prêt en 30 minutes
pour 24 blinis
suggestion d'accompagnement huîtres au beurre de pesto (page 180), toasts au bœuf sauté (page 288).

Manchons de poulet au zaatar

24 manchons de poulet (2 kg)
zaatar
2 c. à c. d'huile d'olive
1 c. à c. de sumac
1 c. à c. de graines de sésame grillées
1 c. à c. d'origan sec
1 c. à c. de marjolaine fraîche
1 c. à c. de paprika doux
2 c. à c. de thym séché
sauce à l'ail
2 gousses d'ail pelées
½ c. à c. de sel
2 c. à c. de jus de citron
160 ml d'huile d'olive

1 Préchauffez le four à 220 °C ou à 200 °C pour un four à chaleur tournante.
2 Frottez les manchons de poulet de zaatar pour les recouvrir uniformément.
3 Disposez-les sur une grille dans un grand plat peu profond et faites-les rôtir 40 minutes environ.
4 Pendant ce temps, préparez la sauce à l'ail et servez-la avec le poulet.
zaatar mélangez tous les ingrédients.
sauce à l'ail écrasez l'ail avec le sel dans un mortier. Ajoutez le jus de citron, puis l'huile d'olive en filet continu pour obtenir une émulsion.

prêt en 60 minutes
pour 24 pièces
suggestion d'accompagnement antipasti (page 268), mini pizzas à l'agneau (page 312).

Ailes de poulet buffalo

150 g de mayonnaise
120 g de crème fraîche épaisse
60 ml de babeurre
2 c. à c. de jus de citron
¼ de c. à c. de paprika fort
1 oignon grossièrement haché

100 g de bleu de Bresse émietté
16 petites ailes de poulet
huile végétale
80 ml de sauce chili forte
80 de beurre fondu
4 branches de céleri, en bâtonnets

1 Mixez la mayonnaise, la crème fraîche, le babeurre, le jus de citron, le paprika, l'oignon et le fromage. Placez 2 heures au frais, à couvert.
2 Coupez les ailes de poulet en trois. Jetez les ailerons. Faites frire les ailes de poulet dans de l'huile. Dans un saladier, mélangez les ailes avec la sauce chili et le beurre fondu. Servez chaud avec la sauce et le céleri.

prêt en 30 minutes + réfrigération
pour 32 pièces
suggestion d'accompagnement dip de haricots blancs et croustillants de pita (page 83), toasts au bacon et aux tomates cerises (page 320).

Mini sandwichs poulet noix de pécan

480 g de blancs de poulet cuits, finement hachés
4 ciboules finement hachées
50 g de noix de pécan hachées
3 branches de céleri hachées

150 g de mayonnaise allégée
80 g de crème fraîche épaisse
20 tranches de pain de mie blanc
10 tranches de pain de mie complet

1 Mélangez le poulet, les ciboules, les noix de pécan, le céleri, la mayonnaise et la crème dans un saladier.
2 Étalez 2 cuillerées à soupe de cette préparation sur 10 tranches de pain de mie blanc. Recouvrez avec le pain complet. Étalez de nouveau 2 cuillerées à soupe de préparation et finissez par une tranche de pain de mie blanc. Enlevez la croûte autour des sandwichs. Coupez-les en triangles.

prêt en 20 minutes
pour 40 sandwichs
suggestion d'accompagnement dentelles aux noix et au parmesan (page 163), mini cheeseburgers (page 308).

Ailes de poulet au soja et au citron vert

16 petites ailes de poulet
240 g de marmelade de citron vert chaude
125 ml de sauce soja claire

60 ml de vin blanc sec
1 gousse d'ail pilée
80 ml de sauce barbecue
1 c. à s. de jus de citron vert

1 Coupez les ailes de poulet en trois, au niveau des articulations.

2 Dans un saladier, mélangez la marmelade de citron vert, la sauce soja, le vin, l'ail et la sauce barbecue. Ajoutez les ailes de poulet et remuez pour les enrober de cette préparation. Couvrez et placez 3 heures au réfrigérateur.

3 Posez les ailes de poulet égouttées sur une plaque de cuisson et faites-les griller 25 minutes au four préchauffé à 220 °C.

4 Servez les ailes chaudes, avec un filet de jus de citron vert.

prêt en 45 minutes + marinade
pour 32 pièces
suggestion d'accompagnement bouchées de fontina frites (page 175), mini tourtes de bœuf à la Guinness (page 284).

Ailes de poulet au miel et au soja

16 petites ailes de poulet
115 g de miel
125 ml de sauce soja

3 gousses d'ail pilées
1 c. à s. de gingembre frais râpé

1 Préchauffez le four à 220 °C.

2 Coupez les ailes de poulet en trois, au niveau des articulations.

3 Dans un saladier, mélangez le poulet avec le miel, la sauce soja, l'ail et le gingembre. Remuez bien pour enrober les ailes de ce mélange.

4 Placez les ailes dans un grand plat peu profond. Badigeonnez-les avec la marinade restée au fond du saladier. Faites cuire 30 minutes au four.

prêt en 40 minutes
pour 32 pièces
pratique vous pouvez garder les ailerons pour faire du bouillon de poulet.
suggestion d'accompagnement crêpes roulées au saumon fumé (page 196), triangles d'agneau épicé aux pignons (page 276).

Salade César en barquettes

2 tranches de pain de mie rassis, sans la croûte
2 tranches de jambon cru (30 g)
160 g de poulet rôti émincé
80 ml de vinaigrette
40 g de copeaux de parmesan
2 petites romaines (360 g)

1 Préchauffez le gril.
2 Coupez le pain en cubes de 1 cm, disposez ces derniers sur une plaque de cuisson et faites-les griller.
3 Saisissez les tranches de jambon à sec dans une poêle jusqu'à ce qu'elles croustillent. Hachez-les grossièrement.
4 Mélangez dans un saladier les croûtons, le jambon, le poulet, la vinaigrette et un tiers du parmesan.
5 Séparez les romaines en feuilles. Disposez 24 petites feuilles sur un plat de service et garnissez-les de salade. Décorez avec les copeaux de parmesan restants.

prêt en 30 minutes
pour 24 barquettes
suggestion d'accompagnement falafels (page 131), terrine de poulet au basilic et aux tomates séchées (page 264).

Ailes de poulet panées

16 petites ailes de poulet
2 œufs légèrement battus
60 ml de lait
250 g de chapelure
1 c. à s. de piment en poudre
75 g de farine
huile végétale
320 g de confiture d'abricots
2 c. à s. de moutarde
2 c. à c. de sauce soja claire
1 gousse d'ail pilée

1 Coupez les ailes de poulet en trois, au niveau des articulations. Jetez les ailerons.

2 Mélangez dans deux récipients différents, d'une part les œufs et le lait, d'autre part la chapelure et le piment. Passez les ailes dans la farine et secouez légèrement, puis trempez-les dans le mélange d'œufs et de lait. Passez-les enfin dans la chapelure au piment.

3 Faites chauffer l'huile dans une sauteuse. Faites frire les ailes jusqu'à ce qu'elles soient dorées et cuites à point. Égouttez-les sur du papier absorbant.

4 Mixez la confiture, la moutarde, la sauce soja et l'ail jusqu'à obtention d'une pâte lisse. Servez les ailes de poulet chaudes avec cette sauce.

prêt en 35 minutes
pour 32 pièces
suggestion d'accompagnement crevettes en rémoulade (page 199), raviolis de porc sauce aigre-douce (page 378).

Mini tourtes au poulet

250 ml de bouillon de poulet
170 g de blanc de poulet
1 c. à c. d'huile d'olive
1 petit poireau (200 g) coupé en tranches fines
1 branche de céleri (100 g) coupée en dés
2 c. à c. de farine
2 c. à c. de feuilles de thym frais
60 ml de crème fraîche
1 c. à c. de moutarde à l'ancienne
2 feuilles de pâte brisée toute prête
2 feuilles de pâte feuilletée toute prête
1 jaune d'œuf
2 c. à c. de graines de sésame

1 Portez à ébullition le bouillon dans une casserole et plongez-y le poulet. Dès que le liquide recommence à bouillir, réduisez le feu, couvrez et laissez frémir 10 minutes, puis coupez le feu et laissez le poulet encore 10 minutes dans la casserole. Coupez-le ensuite en fines lanières. Réservez 60 ml de liquide de cuisson.

2 Faites revenir le poireau et le céleri dans l'huile d'olive. Ajoutez la farine et la moitié du thym, puis laissez épaissir 1 minute en remuant. Incorporez progressivement le bouillon réservé, puis la crème fraîche, sans cesser de remuer pour éviter les grumeaux. Faites épaissir cette sauce à feu moyen, tout en remuant. Ajoutez hors du feu le poulet et la moutarde. Laissez refroidir 10 minutes. (Vous pouvez préparer cette farce la veille.)

3 Préchauffez le four à 220 °C ou à 200 °C pour un four à chaleur tournante. Huilez en tout 16 alvéoles sur 2 plaques à muffins.

4 Découpez 16 disques de 7,5 cm dans la pâte brisée et foncez-en les alvéoles. Déposez 1 cuillerée à soupe de farce dans chaque alvéole. Découpez 16 autres disques de 6 cm dans la pâte feuilletée pour fermer les tourtes. Badigeonnez le dessus de jaune d'œuf avant de saupoudrer du reste de thym et de graines de sésame. Avec un couteau pointu, faites deux incisions dans chaque tourte. Faites cuire 20 minutes au four.

prêt en 1 heure 20
pour 16 tourtes
suggestion d'accompagnement champignons à l'ail (page 87), brochettes de tomates, olives et bocconcinis, sauce pesto (page 140).

Mini sandwichs au poulet et mayonnaise aux câpres

320 g de poulet grillé coupé en fines lanières
2 c. à c. de câpres, égouttées et grossièrement hachées
2 c. à c. de ciboulette fraîche ciselée
100 g de mayonnaise
8 tranches de pain de mie
1 petit concombre (130 g) coupé en tranches fines

1 Mélangez le poulet, les câpres, la ciboulette et 25 g de mayonnaise dans un saladier.
2 Étalez cette farce sur 4 tranches de pain. Couvrez de tranches de concombre. Nappez de mayonnaise les tranches de pain restantes puis fermez les sandwichs.
3 Coupez la croûte du pain avant de partager les sandwichs en trois.

prêt en 10 minutes
pour 12 sandwichs
suggestion d'accompagnement noix de Saint-Jacques à l'estragon et au citron vert (page 191), bouchées de crevettes à la vapeur (page 374).

Petits naans au poulet tandoori

500 g de blancs de poulet
80 g de pâte tandoori
200 g de yaourt
2 c. à s. de menthe fraîche finement hachée
1 c. à s. de jus de citron
4 naans
32 feuilles de menthe fraîche

1 Mélangez le poulet, la pâte tandoori et un quart du yaourt dans un saladier. Remuez pour imprégner le poulet. Couvrez. Mettez 3 heures au réfrigérateur.

2 Faites griller le poulet jusqu'à ce qu'il soit doré et cuit à point. Laissez reposer 10 minutes. Coupez-le en tranches fines, puis en petits morceaux triangulaires.

3 Mélangez le reste du yaourt, la menthe et le jus de citron dans un saladier. Découpez des petits canapés ronds dans les naans. Étalez ½ cuillerée à café du mélange au yaourt sur chaque canapé. Ajoutez le poulet, puis ½ cuillerée à café de préparation au yaourt et une feuille de menthe.

4 Servez froid.

prêt en 45 minutes + marinade
pour 32 bouchées
suggestion d'accompagnement noix de Saint-Jacques à la crème safranée (page 188), pancakes aux saucisses et aux oignons (page 335).

Bouchées croustillantes au poulet

2 blancs de poulet
40 feuilles de pâte à wontons (raviolis chinois)
huile végétale
100 g de chou chinois émincé
1 petite carotte finement râpée
3 ciboules finement hachées
2 c. à s. de graines de sésame grillées
assaisonnement
80 ml d'huile d'arachide
1 c. à s. de vinaigre blanc
1 c. à s. de sucre roux
1 c. à s. de sauce soja claire
1 c. à c. d'huile de sésame
1 gousse d'ail pilée

1 Faites pocher le poulet dans de l'eau bouillante. Réduisez le feu et laissez frémir 10 minutes à feu doux sans couvrir jusqu'à ce que le poulet soit cuit à point. Égouttez, laissez reposer 10 minutes puis émincez la viande.

2 Préchauffez le four à 180 °C ou à 160 °C pour un four à chaleur tournante. Graissez 40 petits moules individuels.

3 À l'aide d'un emporte-pièce de 7,5 cm de diamètre, découpez 40 disques dans les feuilles de pâte. Garnissez-en le fond des moules et huilez légèrement au pinceau.

4 Faites cuire 7 minutes au four. Laissez reposer 2 minutes dans les moules, puis démoulez sur une grille et laissez refroidir.

5 Pendant ce temps, mélangez le poulet, le chou, la carotte, les ciboules, les graines de sésame et l'assaisonnement.

6 Au moment de servir, garnissez les bouchées de cette préparation en tassant délicatement.

assaisonnement mélangez tous les ingrédients dans un shaker pour sauce à salade, fermez puis secouez énergiquement.

prêt en 55 minutes
pour 40 bouchées
suggestion d'accompagnement röstis au saumon fumé (page 212), raviolis de porc sauce aigre-douce (page 378).

Empanadas au poulet et aux olives

500 ml de bouillon de poulet
1 feuille de laurier
3 cuisses de poulet (600 g) désossées
1 c. à s. d'huile d'olive
1 petit oignon (80 g) finement haché
2 gousses d'ail pilées
2 c. à c. de cumin en poudre
80 g de raisins secs
40 g d'olives vertes dénoyautées grossièrement hachées
5 rouleaux de pâte brisée
1 œuf légèrement battu

1 Portez à ébullition le bouillon de poulet avec la feuille de laurier et faites-y pocher le poulet 10 minutes à feu doux, à couvert. Laissez refroidir le poulet 10 minutes dans le bouillon puis coupez-le en lanières. Conservez 250 ml de bouillon et jetez le reste (ou gardez-le pour une autre recette).

2 Faites chauffer l'huile d'olive dans une poêle et faites-y revenir l'oignon en remuant jusqu'à ce qu'il soit tendre. Ajoutez l'ail et le cumin et poursuivez la cuisson jusqu'à ce que le mélange embaume. Ajoutez les raisins secs et les 250 ml de bouillon. Portez à ébullition, puis laissez frémir 15 minutes à découvert jusqu'à ce que le liquide soit presque entièrement évaporé. Incorporez le poulet et les olives.

3 Préchauffez le four à 200 °C ou à 180 °C pour un four à chaleur tournante. Huilez 2 plaques de cuisson.

4 Découpez 24 disques de 9 cm de diamètre dans les rouleaux de pâte. Déposez au centre de chaque disque 1 cuillerée à soupe de garniture et repliez la pâte pour former un demi-cercle. Pincez les bords pour bien fermer les empanadas et décorez avec les dents d'une fourchette.

5 Placez les empanadas sur les plaques et badigeonnez-les avec l'œuf. Faites cuire 25 minutes au four. Vous pouvez les servir avec du yaourt.

prêt en 60 minutes
pour 24 empanadas
suggestion d'accompagnement trio d'asperges (page 95), assortiment de boulettes de fromage (page 136).

Toasts de polenta aux foies de volailles

50 g de beurre ramolli
300 g de foies de volaille nettoyés
2 échalotes (50 g) hachées
1 gousse d'ail pilée
2 c. à s. de porto
100 g de cerises aigres au sirop, égouttées et dénoyautées
48 brins de cerfeuil frais
polenta pour les toasts
250 ml d'eau
500 ml de bouillon de poulet
125 g de polenta
30 g de beurre
huile végétale pour la friture

1 Préparez la polenta pour les toasts.
2 Poêlez les foies avec la moitié du beurre. Réservez-les au chaud.
3 Dans la même poêle, faites revenir les échalotes et l'ail. Ajoutez le porto et laissez presque tout le liquide s'évaporer, sans couvrir.
4 Mixez les foies avec le mélange d'échalotes. Passez cette purée au chinois.
5 Fouettez la mousse obtenue avec le reste du beurre pour obtenir une pommade homogène. Couvrez et réfrigérez 2 heures.
6 Tartinez les toasts de mousse de foies de volaille. Décorez avec 1 cerise au sirop et 1 brin de cerfeuil.
polenta pour les toasts huilez un moule à cake de 8 x 25 cm. Portez à ébullition l'eau et le bouillon, puis versez la polenta en pluie, en remuant. Baissez le feu et laissez frémir 10 minutes, en remuant, jusqu'à épaississement. Incorporez le beurre. Versez la polenta dans le moule, lissez la surface et laissez tiédir 10 minutes. Couvrez et réfrigérez 2 heures. Démoulez la polenta sur le plan de travail puis faites deux tranches égales dans la hauteur. Recoupez chaque tranche en 24 petits carrés. Faites frire ces derniers dans un bain d'huile chaud. Égouttez-les sur du papier absorbant.

prêt en 50 minutes + réfrigération
pour 48 toasts
suggestion d'accompagnement cœurs d'artichauts en vinaigrette au vin blanc (page 103), gaufres au jambon et à l'ananas (page 336).

Terrine de poulet au basilic et aux tomates séchées

1,2 kg de blancs de poulet
80 g de pignons de pin grillés
2 poignées de feuilles de basilic ciselées
75 g de tomates séchées à l'huile, égouttées et hachées
60 ml de crème fraîche
salsa aux poivrons
200 g de poivrons grillés à l'huile, égouttés et hachés
1/4 de c. à c. de piment de Cayenne

1 Préchauffez le four à 180 °C ou à 160 °C pour un four à chaleur tournante. Huilez un moule à cake de 1,5 litre. Chemisez le fond et les grands côtés de papier sulfurisé, en le laissant dépassez de 3 cm.

2 Hachez 300 g de blancs de poulet. Détaillez le reste en fines lamelles.

3 Mélangez tous les ingrédients dans un saladier et disposez cette farce dans le moule en tassant bien. Rabattez les bords du papier sulfurisé sur la terrine et couvrez d'une feuille d'aluminium.

4 Déposez le moule dans un plat et versez de l'eau jusqu'à mi-hauteur. Faites cuire 1 heure environ. Laissez revenir à température ambiante, puis retirez l'excédent de liquide. Couvrez et réfrigérez 5 heures.

5 Préparez la salsa en mélangeant les poivrons et le piment de Cayenne dans un saladier.

6 Démoulez la terrine sur le plat de service. Couvrez et laissez revenir à température ambiante. Servez avec la salsa aux poivrons.

salsa aux poivrons mélangez les poivrons et le piment de Cayenne.

prêt en 1 heure 20 + réfrigération
pour 8 personnes
suggestion d'accompagnement salade de mangue verte (page 100), fleurs de courgettes à la ricotta (page 152).

bouchées à la viande

Antipasti

400 g de ricotta cuite
⅛ de c. à c. de paprika fumé
¼ de c. à c. de flocons de piment séché
¼ de c. à c. de feuilles d'origan séchées
250 g de tomates cerises
125 ml d'huile d'olive vierge extra
1 aubergine moyenne (300 g) coupée en fines lamelles
2 c. à s. de petites feuilles de basilic frais
3 chorizos (400 g) coupés en fines tranches
5 ou 6 branches de persil plat frais effeuillées
12 pointes d'asperges fraîches parées
20 g de copeaux de parmesan
10 radis rouges (150 g) parés
150 g d'olives de kalamata dénoyautées

1 Préchauffez le four à 180 °C ou à 160 °C pour un four à chaleur tournante.
2 Mettez la ricotta sur une plaque peu profonde allant au four, saupoudrez-la de paprika, de piment et d'origan. Mettez les tomates sur la même plaque et arrosez les tomates et la ricotta de 2 cuillerées à soupe d'huile d'olive. Faites cuire 10 minutes jusqu'à ce que les tomates soient grillées et commencent à se fendre.
3 Badigeonnez les lamelles d'aubergine de 2 cuillerées à soupe d'huile et faites-les cuire sur un gril en fonte (ou dans une poêle ou au barbecue) jusqu'à ce qu'elles soient dorées des deux côtés. Arrosez-les de 1 cuillerée à soupe d'huile et parsemez-les de basilic.
4 Faites griller le chorizo des deux côtés sur un gril en fonte (ou dans une poêle ou au barbecue) puis parsemez-le de persil.
5 Faites cuire les asperges dans une grande poêle remplie d'eau frémissante. Égouttez-les. Parsemez-les de parmesan et nappez-les avec le reste de l'huile.
6 Garnissez un plat de cet assortiment d'antipasti et servez.

prêt en 25 minutes
pour 6 personnes
suggestion d'accompagnement trio de pizzas (page 271), chips tortillas saveur pizza (page 323).

Trio de pizzas

1 pâte à pizza divisée en 3 parts égales, étalées finement
garniture olives-anchois
2 c. à c. d'huile d'olive
80 ml de sauce tomate liquide
7 filets d'anchois, égouttés et coupés en deux
30 g d'olives noires dénoyautées et coupées en deux
12 feuilles de basilic frais
garniture à la pancetta
2 c. à c. d'huile d'olive
80 ml de sauce tomate liquide
2 gousses d'ail coupées en fines lamelles
40 g de copeaux de parmesan
6 fines tranches de pancetta épicée
garniture à la saucisse épicée
2 c. à c. d'huile d'olive
80 ml de sauce tomate liquide
175 g de saucisse italienne épicée
1 long piment thaï frais émincé
100 g de mozzarella coupée en tranches
2 c. à s. de feuilles d'origan frais

1 Préchauffez le four à 220 °C ou à 200 °C pour un four à chaleur tournante.
2 Disposez les 3 pâtes sur une plaque de cuisson huilé. Badigeonnez chacune d'huile d'olive, puis étalez la sauce tomate. Ensuite, garnissez avec les ingrédients correspondant, excepté les fines herbes.
3 Faites cuire au four 20 minutes. Parsemez d'herbes fraîches, découpez chaque pizza en 5 parts et servez.

prêt en 50 minutes
pour 3 pizzas à pâte fine (5 parts par pizza)
suggestion d'accompagnement trio d'asperges (page 95), assortiment de boulettes de fromage (page 136).

Crostinis de bœuf et oignons caramélisés

500 g de filet de bœuf
1 c. à s. d'huile d'olive
2 gros oignons rouges (600 g) finement émincés
1 c. à s. de sucre roux
1 c. à s. de vinaigre de vin rouge
1 pain de seigle (660 g)
60 ml d'huile d'olive supplémentaire
2 c. à s. de moutarde douce anglaise
40 feuilles de persil plat frais

1 Préchauffez le four à 180 °C ou à 160 °C pour un four à chaleur tournante.

2 Faites revenir le bœuf dans une poêle huilée jusqu'à ce qu'il soit bien doré puis mettez-le dans un plat allant au four et faites-le rôtir à découvert 20 minutes. Enveloppez-le dans du papier d'aluminium.

3 Pendant la cuisson du bœuf, faites chauffer l'huile d'olive dans une poêle et faites-y revenir les oignons jusqu'à ce qu'ils soient tendres. Ajoutez le sucre et le vinaigre puis faites caraméliser les oignons en remuant.

4 Coupez et jetez les croûtons du pain et coupez-le en tranches de 1,5 cm. Coupez ensuite chaque tranche en quatre, badigeonnez-les d'huile des deux côtés et faites-les griller.

5 Détaillez le bœuf en fines tranches. Étalez la moutarde sur le pain, garnissez de persil puis de bœuf et d'oignons caramélisés. Servez à température ambiante.

prêt en 50 minutes
pour 40 crostinis
suggestion d'accompagnement rondelles d'oignons en beignets
(page 112), bouchées croustillantes au poulet (page 259).

Feuilletés au curry et dip au chutney à la mangue

1 c. à s. d'huile végétale
2 oignons blancs finement hachés
1 gousse d'ail pilée
2 c. à c. de curry en poudre
300 g de viande de bœuf hachée
2 c. à c. de jus de citron
110 g de chutney à la mangue
2 rouleaux de pâte feuilletée
1 œuf battu
220 g de chutney à la mangue supplémentaire
1 c. à s. d'eau bouillante

1 Faites chauffer l'huile dans une poêle et faites-y revenir les oignons et l'ail en remuant jusqu'à ce que les oignons soient tendres. Ajoutez le curry et faites revenir en remuant jusqu'à ce que les arômes se libèrent. Incorporez le bœuf et poursuivez la cuisson jusqu'à ce qu'il soit doré et cuit. Retirez-le du feu et ajoutez le jus de citron et le chutney à la mangue.

2 À l'aide d'un rouleau à pâtisserie, étalez les rouleaux de pâte pour obtenir des carrés de 30 cm de côté, puis découpez 8 disques de pâte de 8 cm de diamètre sur chaque carré à l'aide d'un emporte-pièce.

3 Préchauffez le four à 200 °C ou à 180 °C pour un four à chaleur tournante. Huilez légèrement 2 plaques de cuisson.

4 Mettez 1 bonne cuillerée à café de garniture au centre de chaque disque de pâte, badigeonnez les bords avec de l'œuf et pliez la pâte pour fermer les feuilletés. Scellez bien les bords à l'aide d'une fourchette.

5 Disposez les feuilletés sur les plaques, badigeonnez-les d'œuf et enfournez-les 15 minutes jusqu'à ce qu'ils soient bien dorés.

6 Mélangez le chutney supplémentaire et l'eau et servez les feuilletés avec cette sauce.

prêt en 60 minutes
pour 32 feuilletés
suggestion d'accompagnement beignets de légumes et tzatziki (page 88), quesadillas (page 327).

Triangles d'agneau épicé aux pignons

10 g de beurre
1 oignon moyen (150 g) finement émincé
1 gousse d'ail pilée
½ c. à c. d'épices mélangées, moulues
½ c. à c. de poivre noir fraîchement moulu
80 g de pignons de pin grillés
2 c. à c. de sambal oelek
500 g de viande d'agneau hachée
2 ciboules finement émincées
24 feuilles de pâte filo
vaporisateur d'huile

1 Faites fondre le beurre dans une poêle et faites-y revenir l'oignon, l'ail, les épices, le poivre, les pignons et le sambal oelek en remuant jusqu'à ce que l'oignon soit tendre. Ajoutez l'agneau et poursuivez la cuisson jusqu'à ce qu'il soit doré et cuit. Ajoutez les ciboules.
2 Préchauffez le four à 200 °C ou à 180 °C pour un four à chaleur tournante puis huilez légèrement 2 plaques de cuisson.
3 Huilez une feuille de pâte filo avec le vaporisateur et recouvrez-la avec une autre feuille. Coupez-les en 6 bandes et huilez-les avec le vaporisateur. Répétez l'opération avec les feuilles restantes.
4 Mettez 2 cuillerées à café de garniture tout en bas d'une bande, à 1 cm du bord. Repliez le coin en diagonale au-dessus de la garniture pour former un triangle, puis continuez de plier la bande en conservant la forme du triangle. Placez le triangle obtenu sur une grille, « fermeture » en dessous, et recommencez l'opération avec les autres bandes de pâte et la garniture. Huilez légèrement les triangles avec le vaporisateur. Faites cuire 10 minutes au four.

prêt en 60 minutes
pour 72 triangles
suggestion d'accompagnement olives chaudes à l'ail, au piment et à l'origan (page 84), houmous (pages 91).

Brochettes d'agneau et d'halloumi

½ c. à c. de poivre de Jamaïque
1 c. à c. de poivre noir concassé
1 gousse d'ail pilée
2 c. à s. de jus de citron
2 c. à s. d'huile d'olive
500 g d'agneau coupé en dés
200 g d'halloumi coupé en dés de 2 cm

1 Mettez le poivre de Jamaïque, le poivre noir, l'ail, le jus de citron
et l'huile d'olive dans un bol. Incorporez l'agneau et remuez bien
pour l'enrober de ce mélange. Piquez l'agneau et le fromage sur des
brochettes, en alternant.
2 Faites cuire les brochettes sur un gril en fonte chaud huilé (ou sous
le gril du four ou au barbecue) jusqu'à ce qu'elles soient dorées et cuites
à souhait.

prêt en 40 minutes
pour 8 brochettes
suggestion d'accompagnement caviar d'aubergine (page 116),
feuilles de vigne farcies au veau et à la tomate (page 283).

Porc givré à l'ananas

2 filets de porc (600 g)
2 c. à s. de sauce char-sui
1 c. à s. de sauce soja légère
½ petit ananas (450 g) coupé en tranches fines
25 g de pousses de pois mange-tout parées

1 Dans un grand bol, faites mariner le porc dans les deux sauces mélangées pendant 1 heure au réfrigérateur, à couvert.

2 Faites cuire les tranches d'ananas sur un gril en fonte chaud huilé (ou sous le gril du four ou au barbecue) jusqu'à ce qu'elles soient légèrement dorées. Retirez-les du gril et coupez-les en deux puis couvrez-les pour qu'elles restent chaudes.

3 Faites cuire le porc à feu doux sur un gril en fonte, à couvert, pendant 10 minutes environ. Couvrez, laissez refroidir 5 minutes puis coupez-le en tranches fines.

4 Garnissez chaque demi-tranche d'ananas de 2 tranches de porc et de quelques pousses de pois mange-tout.

prêt en 25 minutes + marinade
pour 32 bouchées
suggestion d'accompagnement crevettes à l'orange et au miel (page 227), brochettes au poulet façon thaïe (page 346).

Feuilles de vigne farcies au veau et à la tomate

36 feuilles de vigne dans la saumure
1 c. à s. d'huile d'olive
1 gros oignon rouge (300 g) finement haché
4 gousses d'ail pilées
500 g de veau haché
400 g de tomates concassées en boîte
30 g d'olives vertes dénoyautées, finement hachées
35 g de tomates séchées au soleil, égouttées et finement hachées
1 c. à s. de pâte de tomates

1 Mettez les feuilles de vigne dans un grand bol résistant à la chaleur et couvrez-les d'eau bouillante. Laissez reposer 10 minutes, égouttez-les et rincez-les sous l'eau froide, égouttez de nouveau. Tamponnez les feuilles de même gabarit avec du papier absorbant pour les sécher.
2 Faites chauffer l'huile d'olive dans une grande poêle, faites-y revenir l'oignon et l'ail. Ajoutez le veau et remuez jusqu'à ce qu'il change de couleur.
3 Incorporez les ingrédients restants et portez à ébullition. Laissez frémir à découvert 5 minutes jusqu'à ce que le liquide soit presque entièrement évaporé puis laissez refroidir 15 minutes.
4 Placez les feuilles, veines sur le dessus, sur une planche. Mettez 1 cuillerée à soupe de garniture au centre de la feuille, près de la veine principale. Roulez la feuille sur elle-même vers la pointe pour que la farce soit recouverte, puis repliez les côtés. Continuez de rouler vers la pointe de la feuille. Placez les rouleaux obtenus, « fermeture » sur le dessous, dans un panier en bambou recouvert de papier sulfurisé. Répétez l'opération avec le reste des feuilles et de garniture. Placez-les à 1 cm d'intervalle dans le panier.
5 Placez le panier au-dessus d'une casserole d'eau bouillante et faites cuire les feuilles de vigne 15 minutes à couvert.
6 Servez les feuilles de vigne chaudes ou froides, nappées de jus de citron.

prêt en 1 heure 15
pour 36 feuilles de vigne
suggestion d'accompagnement dip de haricots blancs et croustillants de pita (page 83), brochettes frites d'olives, tomates séchées et salami (page 316).

Mini tourtes de bœuf à la Guinness

1 c. à c. d'huile végétale
500 g de viande de bœuf hachée
1 oignon moyen (150 g) haché
2 c. à c. de farine
375 ml de bière Guinness
250 ml de bouillon de bœuf
5 feuilles de pâte brisée
1 œuf légèrement battu

1 Faites revenir le bœuf dans l'huile. Ajoutez l'oignon et laissez cuire jusqu'à ce qu'il soit tendre. Versez la farine et faites-la roussir en remuant jusqu'à ce que le mélange commence à bouillonner.

2 Ajoutez progressivement la bière et le bouillon sans cesser de remuer pour que la sauce frémisse et épaississe légèrement. Baissez le feu, couvrez et laissez mijoter 1 heure. Retirez le couvercle et poursuivez la cuisson 30 minutes. Remuez de temps en temps pour que la sauce n'attache pas. Quand le mélange est cuit, laissez-le refroidir à température ambiante puis mettez-le au réfrigérateur.

3 Préchauffez le four à 220 °C ou à 200 °C pour un four à chaleur tournante. Huilez légèrement 3 plaques à muffins de 12 alvéoles.

4 Avec un emporte-pièce de 6 cm, découpez 36 disques dans les feuilles de pâte et disposez-les dans les alvéoles. Avec un emporte-pièce de 5 cm, découpez 36 autres disques dans le reste de pâte.

5 Déposez 1 cuillerée à café bombée de farce froide dans chaque alvéole avant de badigeonner le pourtour d'œuf battu. Coiffez chaque tourte d'un plus petit disque de pâte, en pressant délicatement les bords pour les faire adhérer, puis badigeonnez d'œuf battu le dessus des tourtes. À l'aide d'un couteau, faites deux entailles au sommet de chaque tourte.

6 Faites cuire les tourtes au four 15 minutes. Laissez-les reposer 5 minutes avant de les démouler. Servez rapidement.

prêt en 2 heures 20
pour 36 tourtes
suggestion d'accompagnement dip aux aubergines (page 111), bocconcinis marinés et prosciutto (page 139).

Bœuf au piment jalapeño sur galettes de maïs

2 piments jalapeño
125 ml d'eau bouillante
12 galettes de maïs de 17 cm de diamètre
huile végétale pour friture
1 c. à s. d'huile végétale supplémentaire
1 petit oignon (80 g) finement émincé
1 gousse d'ail pilée
300 g de viande de bœuf hachée
1 c. à s. de pâte de tomates
250 ml de bière
5 ou 6 branches de coriandre fraîche grossièrement ciselées
120 g de crème fraîche

1 Dans un petit bol, recouvrez les piments avec l'eau bouillante et laissez reposer 20 minutes.
2 Pendant ce temps, découpez 3 disques de 7 cm de diamètre dans chaque galette. Faites chauffer l'huile dans un wok et faites-y frire les galettes, en plusieurs tournées. Égouttez-les sur du papier absorbant.
3 Égouttez les piments au-dessus du petit bol, conservez le liquide. Ôtez et jetez le pédoncule et les graines. Mixez les piments et le liquide pour obtenir une purée homogène.
4 Faites chauffer la cuillerée d'huile supplémentaire dans une poêle et faites-y revenir l'oignon en remuant jusqu'à ce qu'il soit tendre. Ajoutez l'ail et le bœuf et poursuivez la cuisson jusqu'à ce que le bœuf change de couleur. Incorporez la pâte de tomates, la bière et la purée de piments. Portez à ébullition et laissez frémir à découvert 15 minutes jusqu'à ce que le liquide soit presque entièrement évaporé. Ajoutez la coriandre.
5 Garnissez chaque galette de 1 cuillerée à café de bœuf au piment et de ½ cuillerée à café de crème fraîche.

prêt en 55 minutes
pour 36 galettes
suggestion d'accompagnement toasts de pita aux rillettes de thon (page 203), crevettes citron vert coco (page 228).

Toasts au bœuf sauté

200 g de filet de bœuf
2 grosses poignées de persil plat ciselé
1 grosse poignée de basilic ciselé
1 c. à c. de petites câpres, égouttées et rincées
1 gousse d'ail pilée
1 c. à c. de jus de citron
1 c. à c. d'huile d'olive
36 petits toasts de pain de mie

1 Saisissez le filet de bœuf sur un gril en fonte légèrement huilé. Couvrez et laissez reposer 10 minutes. Découpez la viande en fines lamelles.
2 Mélangez le persil, le basilic, les câpres, l'ail, le jus de citron et l'huile d'olive dans un saladier. Ajoutez la viande et remuez.
3 Garnissez les toasts de viande et disposez-les sur un plat de service. (Vous pouvez tartiner chaque toast d'un peu de moutarde avant de le garnir.)

prêt en 30 minutes
pour 36 toasts
suggestion d'accompagnement moules à l'avocat et au gingembre confit (page 187), feuilletés aux saucisses de Francfort (page 336).

Brochettes de bœuf aux trois légumes

400 g de chair de patate douce coupée en cubes de 2,5 cm
24 échalotes (600 g)
2 gousses d'ail non épluchées
2 c. à c. d'huile d'olive
1 c. à c. de romarin frais ciselé
350 g de filet de bœuf
1 jaune d'œuf
2 c. à c. de moutarde forte
125 g de beurre fondu
1 c. à c. de vinaigre de vin blanc
1 c. à c. de ciboulette fraîche ciselée

1 Préchauffez le four à 200 °C ou à 180 °C pour un four à chaleur tournante.

2 Mettez dans un plat les cubes de patate douce, les échalotes et l'ail, versez l'huile d'olive, saupoudrez de romarin et mélangez bien. Faites rôtir 20 minutes environ.

3 Détaillez la viande en 24 cubes. Enfilez sur chaque brochette 1 morceau de viande, 1 échalote et 1 morceau de patate douce. Faites cuire en plusieurs tournées sur un gril en fonte huilé.

4 Pelez l'ail et mixez-le avec le jaune d'œuf et la moutarde. Laissez le moteur tourner et versez le beurre chaud en filet jusqu'à ce que la sauce épaississe. Versez-la dans une saucière avant d'incorporer le vinaigre et la ciboulette.

5 Servez les brochettes avec cette sauce à l'ail.

prêt en 60 minutes
pour 24 brochettes
suggestion d'accompagnement chouquettes de patates douces au bleu et aux noix (page 176), blinis au poulet fumé (page 240).

Mini sandwichs au bœuf

1 gousse d'ail pilée
2 c. à c. d'huile d'olive
6 steaks de bœuf dans le filet (480 g)
2 petites romaines (360 g)
2 oignons rouges moyens (340 g) coupés en tranches fines
2 flûtes de campagne (300 g)
4 cornichons à la russe (160 g) coupés en tranches fines
160 g de chutney à la tomate

1 Mélangez l'ail et la moitié de l'huile dans un saladier, ajoutez la viande et retournez-la plusieurs fois dans ce mélange.
2 Défaites les romaines en feuilles. Réservez-en 24 petites que vous recouperez en deux (gardez les autres pour un autre usage).
3 Versez le reste d'huile dans une poêle antiadhésive pour y faire caraméliser les oignons pendant 10 minutes, en remuant. Réservez.
4 Dans la même poêle, saisissez les steaks à votre goût sans les couvrir. Laissez-les reposer 5 minutes à couvert avant de les couper en quatre.
5 Coupez chaque flûte en 24 tranches en biseau pour obtenir des tranches assez longues et faites-les griller légèrement sur une face.
6 Sur une tranche de pain, disposez une feuille de romaine, un morceau de viande, un peu d'oignon, de cornichons et de chutney. Fermez le sandwich avec une autre tranche de pain. Préparez ainsi 24 sandwichs.

prêt en 55 minutes
pour 24 sandwichs
suggestion d'accompagnement dip à la ricotta et à la feta (page 156), brochettes de porc sauce satay (page 361).

Cigares au bœuf et aux figues

20 g de beurre
1 oignon moyen (150 g) finement haché
½ c. à c. de cannelle en poudre
2 gousses d'ail pilées
250 g de viande de bœuf hachée
150 g de figues sèches finement hachées
1 c. à s. de ciboulette fraîche finement ciselée
8 feuilles de pâte filo
vaporisateur d'huile
125 ml de sauce aux prunes

1 Faites fondre le beurre dans une grande poêle et faites-y revenir l'oignon, la cannelle et l'ail en remuant jusqu'à ce que l'oignon soit tendre. Incorporez le bœuf et poursuivez la cuisson en remuant jusqu'à ce qu'il soit doré. Ajoutez les figues et la ciboulette, mélangez bien et laissez refroidir 10 minutes.
2 Pendant ce temps, préchauffez le four à 200 °C ou à 180 °C pour un four à chaleur tournante. Huilez 2 plaques de cuisson.
3 Huilez une feuille de pâte filo avec le vaporisateur, couvrez-la avec une autre feuille. Coupez les feuilles en trois bandes dans le sens de la longueur, puis coupez chaque bande en quatre dans le sens de la largeur.
4 Étalez 1 cuillerée à café de garniture sur la largeur d'un rectangle de pâte en laissant une bordure de 1 cm. Repliez cette bordure sur la garniture, repliez les bords des longueurs vers l'intérieur et roulez pour entourer la garniture. Placez les cigares sur les plaques, « fermeture » sur le dessous. Répétez l'opération avec la pâte et la garniture restantes.
5 Huilez légèrement les cigares avec le vaporisateur. Faites cuire au four 10 minutes. Servez avec la sauce aux prunes.

prêt en 60 minutes
pour 48 cigares
suggestion d'accompagnement bruschetta à l'aubergine et aux olives (page 123), bouchées de crevettes à la vapeur (page 374).

Côtelettes d'agneau à la compote de tomates

40 côtelettes d'agneau
2 c. à s. de sumac
1 c. à s. d'huile d'olive
1 oignon finement haché
2 gousses d'ail pilées
830 g de tomates concassées en boîte
125 ml de vin rouge sec
1 c. à s. de vinaigre balsamique

1 Dégraissez les côtelettes d'agneau. Mettez le sumac et les côtelettes dans un grand saladier. Remuez pour recouvrir la viande d'épice. Réservez.

2 Faites chauffer l'huile d'olive dans une casserole. Faites revenir l'oignon et l'ail, en remuant, jusqu'à ce que l'oignon soit tendre. Ajoutez les tomates, le vin et le vinaigre balsamique. Portez à ébullition, puis laissez mijoter 25 minutes à feu doux jusqu'à épaississement.

3 Faites cuire les côtelettes en plusieurs fois, au gril ou au barbecue, jusqu'à ce qu'elles soient dorées de chaque côté et à peine rosées à l'intérieur.

4 Servez chaud accompagné de la compote de tomates.

prêt en 40 minutes
pour 40 côtelettes
suggestion d'accompagnement tortillas à la mexicaine (page 128), crevettes en rémoulade (page 199).

Brochettes de porc caramélisé aux pommes

1 kg de poitrine de porc désossée
1 c. à c. d'huile végétale
2 ou 3 grosses pommes vertes (300 g)
80 g de sauce aux prunes
1 c. à c. de sauce char-sui
1 c. à c. de sauce soja

1 Préchauffez le four à 200 °C ou à 180 °C pour un four à chaleur tournante.
2 Étalez l'huile à la main sur le morceau de poitrine de porc, mettez ce dernier sur une grille et faites-le rôtir 1 heure 20 au four. Coupez-le ensuite en cubes de 2 cm (il vous faut 36 cubes).
3 Épépinez les pommes sans les peler et taillez 36 cubes en tout.
4 Faites chauffer les trois sauces dans un wok pour y faire caraméliser d'abord les morceaux de poitrine de porc, puis les cubes de pommes.
5 Piquez 1 morceau de viande et 1 cube de pomme sur chaque brochette. Présentez sur un plateau de service.

prêt en 2 heures
pour 36 brochettes
pratique pour éviter que les morceaux de pommes ne noircissent, mettez-les à tremper dans un peu d'eau citronnée.
suggestion d'accompagnement antipasti en brochettes (page 151), gaufres au jambon et à l'ananas (page 336).

Barquettes à l'agneau et aux pignons

2 c. à c. d'huile d'olive
1 petit oignon (80 g) haché
2 gousses d'ail pilées
2 c. à c. de cumin en poudre
400 g de viande d'agneau hachée
1 tomate moyenne (150 g) concassée
1 c. à c. de persil plat frais ciselé
1 c. à c. de jus de citron
2 c. à c. de sumac
3 feuilles de pâte sablée toute prête
1 œuf légèrement battu
2 c. à c. de pignons de pin
1 c. à c. de persil plat frais ciselé
140 g de yaourt

1 Faites revenir à l'huile d'olive l'oignon, l'ail et le cumin jusqu'à ce que l'oignon soit tendre. Versez cette préparation dans un saladier et ajoutez la viande, la tomate, le persil, le jus de citron et la moitié du sumac. Mélangez bien.
2 Préchauffez le four à 200 °C ou à 180 °C pour un four à chaleur tournante. Huilez 2 plaques de cuisson.
3 Découpez 9 carrés dans chaque feuille de pâte. Dorez à l'œuf deux côtés opposés, mettez au centre 1 cuillerée à soupe de farce à l'agneau et pincez les bords pour former une barquette assez ouverte. Répartissez quelques pignons de pin sur la farce. Disposez les barquettes sur les plaques en laissant un intervalle de 4 cm entre les barquettes.
4 Faites cuire 20 minutes au four. Saupoudrez de persil et servez avec le yaourt que vous aurez mélangé avec le reste du sumac.

prêt en 1 heure
pour 27 barquettes
suggestion d'accompagnement toasts de pita aux rillettes de thon (page 203), brochettes yakitori (page 353).

Samosas de bœuf

2 c. à c. d'huile végétale
1 petit oignon (80 g) coupé en dés
2 gousses d'ail pilées
10 g de gingembre frais râpé
1 c. à c. de cumin en poudre
1 c. à c. de coriandre en poudre
1 petit piment rouge frais émincé
250 g de viande de bœuf hachée
1 petite patate douce (250 g) coupée en dés
80 ml d'eau
80 g de chutney de pêche
4 feuilles de pâte brisée toute prête
1 œuf légèrement battu

1 Dans une grande poêle huilée, faites revenir l'oignon, l'ail, le gingembre et les épices en poudre. Ajoutez le piment et la viande ; laissez celle-ci se colorer. Mettez les cubes de patate douce et mouillez avec l'eau, puis portez à ébullition. Réduisez le feu et laissez mijoter sans couvrir, en remuant. Incorporez 80 g de chutney. Laissez refroidir la farce 10 minutes puis placez-la au frais.
2 Préchauffez le four à 200 °C ou à 180 °C pour un four à chaleur tournante. Huilez 3 plaques de cuisson.
3 Avec un emporte-pièce de 7,5 cm, découpez 9 disques dans chaque feuille de pâte. Déposez au centre des cuillerées à café bombées de farce, badigeonnez le pourtour d'œuf. Fermez les chaussons en pinçant les bords de pâte et disposez-les sur les plaques. Dorez-les à l'œuf et faites cuire 20 minutes au four.

prêt en 2 heures 10
pour 36 samosas
suggestion d'accompagnement toasts de polenta aux foies de volaille (page 263), antipasti (page 268).

Samosas à l'agneau

1 oignon (150 g) finement haché
1 gousse d'ail pilée
2 c. à c. de cumin en poudre
1 c. à c. de pâte de curry
300 g d'agneau coupé en tranches très fines
2 c. à s. de coriandre fraîche finement hachée
250 g de patates douces râpées
60 ml de bouillon de poulet
1 c. à s. de jus de citron vert
30 g de petits pois surgelés
3 feuilles de pâte brisée
1 œuf légèrement battu
2 c. à s. de pâte de tamarin
2 c. à s. de citronnelle finement hachée
2 c. à s. de sucre de palme extra fin
80 ml de jus d'orange

1 Faites revenir l'oignon, l'ail, le cumin et la pâte de curry dans une poêle. Ajoutez l'agneau et laissez dorer. Ajoutez la coriandre, les patates douces, le bouillon de poulet et le jus de citron vert. Portez à ébullition. Réduisez le feu et laissez mijoter. Incorporez les petits pois et laissez mijoter jusqu'à ce que tout le liquide soit évaporé. Laissez refroidir.
2 Préchauffez le four à 180 °C ou à 160 °C pour un four à chaleur tournante. Huilez 2 plaques du four.
3 Découpez chaque feuille de pâte en seize carrés. Répartissez la farce sur ces carrés. Badigeonnez les bords d'œuf battu. Ramenez les coins vers le centre en pinçant la pâte pour enfermer la garniture.
4 Disposez les samosas sur les plaques de cuisson. Badigeonnez avec le reste de l'œuf. Faites cuire 15 minutes.
5 Pendant ce temps, mélangez la pâte de tamarin, la citronnelle, le sucre de palme et le jus d'orange dans une petite casserole. Faites cuire à feu doux jusqu'à obtention d'une sauce lisse.
6 Servez les samosas chauds avec la sauce au tamarin.

prêt en 1 heure 10
pour 40 samosas
suggestion d'accompagnement crevettes citron vert coco (page 228), petits naans au poulet tandoori (page 256).

Tournedos à la béarnaise

500 g de tranches de bacon
90 g de pesto
700 g de filet de bœuf, dégraissé et coupé en cubes de 2,5 cm
sauce béarnaise
60 ml de vinaigre de vin blanc
8 grains de poivre noir
1 c. à s. de ciboule finement hachée
2 c. à s. d'eau
2 c. à s. d'estragon frais finement haché
3 jaunes d'œufs
200 g de beurre doux fondu

1 Découpez le bacon en lanières de 2 x 14 cm.
2 Étalez un peu de pesto sur chaque tranche de bacon. Enroulez
le bœuf dans le bacon et fermez avec une pique en bois. Faites cuire
les tournedos en plusieurs fois, au gril ou au barbecue, jusqu'à ce qu'ils
soient dorés des deux côtés.
3 Servez chaud avec la sauce béarnaise.
sauce béarnaise mettez le vinaigre, le poivre, la ciboule, l'eau et la
moitié de l'estragon dans une petite casserole. Portez à ébullition, puis
laissez réduire la sauce à feu doux, à découvert. Il doit vous rester la
valeur de 2 cuillerées à café de liquide. Passez ce liquide au chinois, dans
un petit pichet. Jetez les résidus. Faites chauffer les jaunes d'œufs au
bain-marie. Versez le liquide réservé et fouettez. Sans cessez de fouetter,
ajoutez progressivement le beurre jusqu'à ce que la sauce épaississe.
Incorporez le reste d'estragon.

prêt en 1 heure 10
pour 40 pièces
suggestion d'accompagnement crevettes en rémoulade (page 199),
poulpes au piment et à l'ail (page 236).

Mini cheeseburgers

200 g de viande de bœuf hachée
2 oignons blancs finement hachés
2 c. à s. de sauce barbecue
75 g de chapelure
1 œuf
1 gousse d'ail pilée
6 petits pains à hamburger
2 c. à s. de sauce tomate
1 c. à s. de moutarde
4 tranches de cheddar sous vide
1 gros cornichon coupé en tranches fines

1 Mélangez le bœuf, les oignons, la sauce barbecue, la chapelure, l'œuf et l'ail dans un saladier. Formez de petites galettes et disposez-les sur un plateau. Placez-les 10 minutes au réfrigérateur.
2 Faites chauffer une grande poêle antiadhésive et faites cuire les galettes de viande en plusieurs fois. Réservez au chaud.
3 Pendant ce temps, coupez les petits pains en deux. À l'aide d'un emporte-pièce de 4 cm de diamètre, découpez 4 disques dans chaque moitié de pain. Disposez-les sur les plaques du four et faites-les dorer sous le gril très chaud.
4 Mélangez la sauce tomate et la moutarde dans un bol. Répartissez ce mélange sur la moitié des burgers. Découpez 6 rectangles dans chaque tranche de fromage. Garnissez chaque moitié de burger d'une tranche de cornichon, d'une galette de viande et de fromage. Fermez avec l'autre moitié du burger.
5 Servez chaud.

prêt en 40 minutes
pour 24 cheeseburgers
suggestion d'accompagnement rondelles d'oignons en beignets (page 112), toasts au bacon et aux tomates cerises (page 320).

Carnitas de polenta à la salsa

500 ml d'eau
125 ml de bouillon de légumes
250 ml de lait
255 g de polenta
20 g de beurre
60 g de parmesan râpé
150 g de porc coupé en cubes
½ c. à c. de piment en poudre
4 grains de poivre noir
1 gousse d'ail
250 ml d'eau supplémentaire
huile végétale
120 g de crème épaisse
salsa
1 tomate épépinée et finement hachée
1 oignon blanc finement haché
2 c. à s. de coriandre fraîche finement ciselée
2 piments rouges frais, épépinés et émincés
1 c. à s. de jus de citron vert

1 Faites chauffer l'eau, le bouillon et le lait sans porter à ébullition.
Versez la polenta. Laissez-la cuire 5 minutes. Incorporez le beurre et
le parmesan. Tapissez le moule à manqué huilé de polenta puis laissez
refroidir. Placez 3 heures au frais.
2 Mélangez le porc, le piment, le poivre, l'ail et l'eau supplémentaire dans
une casserole. Portez à ébullition, puis laissez mijoter 45 minutes. Laissez
refroidir. Égouttez le porc et émincez-le. Jetez les grains de poivre.
3 Préchauffez le four à 220 °C.
4 Démoulez la polenta sur le plan de travail. Égalisez les bords et
découpez-la en rectangles de 3 x 4 cm. Placez-les sur une plaque
de cuisson huilée et badigeonnez d'huile sur le dessus. Faites cuire
10 minutes au four. Garnissez de salsa, de porc et de crème épaisse.
salsa mélangez tous les ingrédients dans un bol.

prêt en 2 heures + réfrigération
pour 40 pièces
suggestion d'accompagnement pakoras de pois chiches et raïta
à la coriandre (page 119), dip aux piments et au fromage (page 168).

Mini pizzas à l'agneau

1 rouleau de pâte à pizza
2 c. à s. de coulis de tomates
70 g de fromage de chèvre
ferme, émincé

12 tomates séchées, marinées
dans l'huile et coupées en deux
140 g de filet d'agneau cuit, émincé
24 feuilles de roquette ciselées

1 Préchauffez le four à 180 °C ou à 160 °C pour un four à chaleur tournante.
2 À l'aide d'un emporte-pièce de 4,5 cm de diamètre, découpez
24 disques dans la pâte à pizza.
3 Disposez les disques de pâte sur les plaques de cuisson, garnissez de
coulis, puis ajoutez le fromage de chèvre. Faites cuire 5 minutes au four.
Garnissez de tomates séchées, d'agneau et de roquette.
4 Servez chaud.

prêt en 30 minutes
pour 24 pizzas
suggestion d'accompagnement dip aux aubergines (page 111),
beignets au chèvre et aux pommes de terre (page 144).

Côtelettes d'agneau tandoori

140 g de yaourt
75 g de pâte tandoori
1 c. à c. de jus de citron
5 cm de gingembre frais (25 g)
râpé

12 côtelettes d'agneau
80 g de chutney à la mangue
12 feuilles de coriandre fraîche

1 Mélangez le yaourt, la pâte tandoori, le jus de citron et le gingembre
dans un saladier. Ajoutez les côtelettes et enrobez-les de marinade.
Couvrez et réfrigérez 3 heures ou toute une nuit.
2 Faites cuire les côtelettes en plusieurs tournées sur une plaque
en fonte. Garnissez chaque côtelette d'un peu de chutney et de coriandre.

prêt en 15 minutes + marinade
pour 12 côtelettes
suggestion d'accompagnement carnita de polenta à la salsa (page 311),
mini pizzas au mascarpone et au jambon (page 323).

un peu de charcuterie…

Brochettes frites d'olives, tomates séchées et salami

1 œuf légèrement battu
2 c. à c. de lait
50 g de chapelure
20 g de parmesan râpé
24 grosses olives vertes fourrées à la feta ou au poivron (230 g)
24 feuilles fraîches de basilic
100 g de tomates séchées marinées dans l'huile
12 tranches épaisses de salami
huile végétale pour la friture

1 Fouettez dans un saladier l'œuf et le lait. Dans un bol, mélangez la chapelure et le parmesan.
2 Trempez les olives une à une dans l'œuf battu puis dans la chapelure. Recommencez encore une fois avant de les étaler sur une plaque de cuisson chemisée de papier sulfurisé. Couvrez et réfrigérez 15 minutes.
3 Sur chaque brochette, enfilez 1 feuille de basilic, ½ tomate séchée et ½ tranche de salami.
4 Faites chauffer l'huile dans un wok et faites frire les olives. Égouttez-les sur du papier absorbant avant de les piquer sur les brochettes.

prêt en 35 minutes
pour 24 brochettes
suggestion d'accompagnement bâtonnets de mozzarella panés (page 143), bouchées croustillantes au poulet (page 259).

Asperges au jambon cru et au fromage

4 tranches de jambon cru
8 tranches de fontina
8 asperges vertes

1 Coupez les tranches de jambon cru en deux. Recouvrez d'une petite tranche de fontina. Enroulez le jambon cru et le fromage autour des asperges.
2 Passez au gril jusqu'à ce que le jambon soit croustillant.

prêt en 20 minutes
pour 8 asperges
suggestion d'accompagnement tournedos à la béarnaise (page 307), pâtés impériaux (page 362).

Mini sandwichs jambon gruyère

32 tranches de pain de mie complet
95 g de moutarde à l'ancienne
250 g de gruyère coupé en tranches fines
360 g de jambon coupé en tranches fines

1 Tartinez 16 tranches de pain de moutarde, puis recouvrez avec le fromage et le jambon (vous pouvez aussi garnir ces sandwichs avec des cornichons). Recouvrez avec les 16 autres tranches.
2 Coupez la croûte autour des sandwichs et divisez-les en trois.
3 Servez à température ambiante.

prêt en 15 minutes
pour 48 sandwichs
suggestion d'accompagnement guacamole (page 92), brochettes de gambas et de poulpes (page 211).

Toasts au bacon et aux tomates cerises

4 tranches de bacon
1 paquet de mini toasts
6 feuilles de laitue
75 g de mayonnaise allégée
200 g de tomates cerises coupées en deux

1 Coupez chaque tranche de bacon en morceaux plus petits que les toasts. Faites chauffer une grande poêle. Faites cuire le bacon jusqu'à ce qu'il soit doré et croustillant. Égouttez-le sur du papier absorbant.
2 Coupez la laitue en morceaux légèrement plus grands que les toasts.
3 Répartissez la mayonnaise sur les toasts. Recouvrez chaque toast de laitue et de bacon. Finissez par ½ tomate cerise.
4 Servez à température ambiante.

prêt en 25 minutes
pour 40 toasts
suggestion d'accompagnement porc givré à l'ananas (page 280), huîtres à l'asiatique (page 342).

Mini pizzas au mascarpone et au jambon

1 feuille de pâte à pizza
2 c. à s. de coulis de tomates
100 g de jambon à l'os découenné

2 c. à s. de mascarpone
2 c. à c. de ciboulette fraîche
finement ciselée

1 Préchauffez le four à 180 °C ou à 160 °C pour un four à chaleur tournante.
2 À l'aide d'un emporte-pièce de 4,5 cm de diamètre, découpez
24 disques dans la pâte à pizza.
3 Disposez les disques de pâte sur les plaques de cuisson, garnissez-les
de coulis de tomates, puis ajoutez le jambon, le mascarpone et la ciboulette.
Faites cuire 5 minutes au four.
4 Servez chaud.

prêt en 30 minutes
pour 24 pizzas
suggestion d'accompagnement samosas à l'agneau (page 304),
bouchées vapeur de porc aux crevettes (page 350).

Chips tortillas saveur pizza

1 paquet de chips tortillas
sauce tomate pour pizza
salami coupé en tranches
gruyère coupé en petits morceaux

1 Recouvrez les chips tortillas de sauce tomate pour pizza,
de fines tranches de salami et de petits morceaux de gruyère.
2 Disposez-les sur la plaque du four. Passez-les sous le gril préchauffé
jusqu'à ce que le fromage ait fondu.

prêt en 10 minutes
pour 6 personnes
suggestion d'accompagnement pakoras de pois chiches et raïta
à la coriandre (page 119), manchons de poulet au zaatar (page 243).

Frittatas au prosciutto et aux asperges

170 g d'asperges fines
6 œufs légèrement battus
125 ml de crème fraîche
20 g de parmesan grossièrement râpé
3 tranches de prosciutto (45 g)
75 g de tomates séchées, égouttées et finement hachées

1 Préchauffez le four à 200 °C ou à 180 °C pour un four à chaleur tournante.
2 Faites cuire les asperges à l'eau bouillante, à la vapeur ou au microondes jusqu'à ce qu'elles soient juste tendres, puis égouttez-les. Rincez-les sous l'eau froide, égouttez-les de nouveau.
3 Huilez un plat de 19 x 29 cm et chemisez-le de papier sulfurisé.
4 Battez les œufs, la crème fraîche et le parmesan dans un bol.
5 Disposez les asperges en une seule couche dans le fond du plat et recouvrez-les avec le mélange œufs-crème-parmesan. Faites cuire 20 minutes au four. Laissez reposer 10 minutes dans le plat.
6 Pendant ce temps, coupez chaque tranche de prosciutto en 16 carrés et faites-les revenir dans une poêle en remuant de temps en temps jusqu'à ce qu'ils soient croustillants.
7 Coupez la frittata en 48 morceaux, garnissez chaque morceau avec du prosciutto et ½ cuillerée à café de tomates séchées.

prêt en 45 minutes
pour 48 frittatas
suggestion d'accompagnement bœuf au piment jalapeño sur galettes de maïs (page 287), sashimi à la truite de mer (page 370).

Feuilletés au maïs et au bacon

1 pâte feuilletée
4 c. à s. de moutarde à l'ancienne
250 g de bacon émincé
3 ciboules finement hachées
125 g de crème de maïs
100 g de gruyère râpé

1 Préchauffez le four à 180 °C ou à 160 °C pour un four à chaleur tournante.
2 À l'aide d'un emporte-pièce, découpez 24 mini disques dans la pâte feuilletée. Tartinez-les de moutarde.
3 Mixez le bacon, les ciboules, la crème de maïs et le gruyère. Répartissez cette préparation sur les mini feuilletés.
4 Enfournez 10 à 15 minutes jusqu'à ce que le fromage ait fondu.

prêt en 15 minutes
pour 24 feuilletés
suggestion d'accompagnement dip à la betterave (page 104), poisson fumé et antipasti de légumes (page 216).

Quesadillas

2 grandes tortillas de blé
100 g de pousses d'épinards
100 g de salami en tranches
100 g de poivrons grillés coupés en lamelles
100 g de mozzarella râpée
huile végétale

1 Garnissez une grande tortilla de pousses d'épinards, de tranches de salami, de poivrons grillés et de mozzarella râpée. Recouvrez d'une autre tortilla. Huilez ces quesadillas au pinceau.
2 Passez sous le gril du four préchauffé. Coupez en triangles.

prêt en 20 minutes
pour 4 personnes
suggestion d'accompagnement huîtres au mirin et au wasabi (page 192), barquettes à l'agneau et aux pignons (page 300).

Tortilla espagnole

800 g de pommes de terre coupées en fines rondelles
1 c. à s. d'huile d'olive
1 gros oignon (200 g) finement émincé
200 g de chorizo coupé en fines tranches
6 œufs légèrement battus
300 ml de crème fraîche
4 ciboules grossièrement émincées
25 g de mozzarella grossièrement râpée
30 g de gruyère grossièrement râpé

1 Faites cuire les pommes de terre à l'eau bouillante, à la vapeur ou au micro-ondes. Égouttez-les.

2 Pendant ce temps, faites chauffer l'huile d'olive dans une poêle, faites revenir l'oignon en remuant. Ajoutez le chorizo et faites-le cuire jusqu'à ce qu'il soit croustillant. Égouttez le tout sur du papier absorbant.

3 Battez les œufs dans un grand bol avec la crème fraîche, les ciboules, la mozzarella et le gruyère. Incorporez les pommes de terre et le chorizo.

4 Versez le mélange dans une poêle chaude légèrement huilée et faites cuire à couvert, à feu doux, 10 minutes environ jusqu'à ce que la tortilla soit prise. Retournez-la doucement sur une assiette et faites-la glisser dans la poêle. Poursuivez la cuisson environ 5 minutes à découvert jusqu'à ce qu'elle soit bien cuite.

prêt en 45 minutes
pour 4 personnes
suggestion d'accompagnement asperges au jambon cru et au fromage (page 319), taquitos au chorizo (page 331).

Taquitos au chorizo

450 g de haricots rouges frits
1 c. à s. d'eau
400 g de chorizo finement haché
½ poivron rouge finement haché
3 ciboules finement hachées
10 grandes tortillas coupées en quatre
huile végétale
salsa mexicaine
425 g de tomates pelées
2 piments rouges, épépinés et coupés en quatre
1 gousse d'ail coupée en quatre
30 g de feuilles de coriandre fraîche
1 oignon (150 g) coupé en quatre

1 Mettez les haricots à chauffer avec l'eau dans une petite casserole.
2 Pendant ce temps, faites frire le chorizo dans une grande poêle antiadhésive. Remuez jusqu'à ce qu'il soit croustillant. Égouttez-le sur du papier absorbant.
3 Dans un saladier, mélangez les haricots et le chorizo avec le poivron et les ciboules. Répartissez la farce sur les tortillas. Roulez les taquitos en cornets. Maintenez le bord supérieur avec une pique en bois.
4 Faites chauffer l'huile dans une sauteuse. Faites frire les taquitos en plusieurs fois. Égouttez-les sur du papier absorbant. Enlevez les piques en bois.
5 Servez les taquitos chauds avec la salsa mexicaine.
salsa mexicaine mélangez tous les ingrédients en purée.

prêt en 55 minutes
pour 40 taquitos
suggestion d'accompagnement dip aux piments et au fromage (page 168), feuilletés au curry et dip au chutney à la mangue (page 275).

Friands aux saucisses

1 c. à s. d'huile végétale
1 oignon (150 g) finement haché
3 tranches de pain de mie, sans la croûte
350 g de chair à saucisse
350 g de viande de bœuf hachée
1 c. à s. de concentré de tomates
1 c. à c. d'herbes aromatiques séchées
2 c. à s. de persil plat frais finement ciselé
4 feuilles de pâte feuilletée
1 œuf légèrement battu
2 c. à s. de graines de sésame

1 Faites chauffer l'huile dans une poêle et faites fondre l'oignon. Trempez brièvement le pain dans l'eau froide. Jetez l'eau.
2 Dans un grand saladier, mélangez l'oignon, le pain, le bœuf, la chair à saucisse, le concentré de tomates, les herbes séchées et le persil frais.
3 Préchauffez le four à 220 °C ou à 200 °C pour un four à chaleur tournante. Graissez 2 plaques de cuisson.
4 Coupez les feuilles de pâte en deux dans le sens de la longueur. Déposez de la farce au centre puis roulez la pâte tout autour pour enfermer la garniture. Placez les huit rouleaux ainsi obtenus sur les plaques, badigeonnez-les d'œuf battu et saupoudrez-les de graines de sésame. Découpez chaque rouleau en huit et faites cuire 15 minutes au four.
5 Servez chaud avec de la sauce tomate.

prêt en 35 minutes
pour 64 friands
suggestion d'accompagnement dip au bleu et aux oignons caramélisés (page 172), mini pizzas à l'agneau (page 312).

Pancakes aux saucisses et aux oignons

110 g de farine à levure incorporée
1 c. à c. de sucre en poudre
1 œuf légèrement battu
160 ml de lait
20 g de beurre fondu
2 c. à s. de ciboulette fraîche finement ciselée
4 saucisses pur porc
40 g de beurre supplémentaire
2 petits oignons (160 g) émincés
2 c. à s. de cassonade
140 g de coulis de tomates
1 c. à s. de ciboulette fraîche grossièrement ciselée supplémentaire

1 Mélangez la farine et le sucre dans un petit saladier. Incorporez progressivement l'œuf battu jusqu'à ce que le mélange soit lisse. Ajoutez le beurre et la ciboulette.
2 Déposez des cuillerées à café de pâte dans une grande poêle antiadhésive préchauffée et faites cuire les pancakes en plusieurs fois.
3 Nettoyez la poêle et remettez-la sur le feu. Percez les saucisses avec une fourchette, puis faites-les revenir jusqu'à ce qu'elles soient dorées et cuites à point. Découpez-les en douze tranches et réservez au chaud.
4 Nettoyez à nouveau la poêle et faites fondre le beurre supplémentaire. Faites dorer les oignons 10 minutes, en remuant sans cesse. Ajoutez la cassonade et laissez caraméliser les oignons 5 minutes sans cesser de remuer.
5 Garnissez chaque pancake de coulis de tomates, d'une tranche de saucisse et d'oignons caramélisés. Décorez avec quelques brins de ciboulette.

prêt en 1 heure 30
pour 48 pancakes
suggestion d'accompagnement palmiers au fromage et aux olives (page 108), mini pizzas au mascarpone et au jambon (page 323).

Feuilletés aux saucisses de Francfort

2 rouleaux de pâte feuilletée
16 saucisses de Francfort
1 œuf légèrement battu
sauce tomate et moutarde pour servir

1 Préchauffez le four à 180 °C ou à 160 °C pour un four à chaleur tournante. Découpez 16 carrés dans la pâte feuilletée.
2 Enveloppez 1 saucisse de Francfort dans chaque carré de pâte. Badigeonnez la pâte avec de l'œuf battu. Déposez les feuilletés sur la plaque de cuisson garnie de papier sulfurisé.
3 Enfournez 15 minutes. Servez avec de la sauce tomate et de la moutarde.

prêt en 25 minutes
pour 16 feuilletés
suggestion d'accompagnement champignons à l'ail (page 87), fromage frais aux piments doux (page 151).

Gaufres au jambon et à l'ananas

150 g de jambon
100 g de purée d'ananas bien égoutté
50 g de gruyère râpé
8 tranches de pain de mie
50 g de beurre

1 Mélangez le jambon, la purée d'ananas et le gruyère.
2 Répartissez cette préparation sur des tranches de pain de mie. Assemblez les tranches par deux. Beurrez la face supérieure des tranches.
3 Passez-les dans un gaufrier préchauffé. Coupez chaque gaufre en quatre avant de servir.

prêt en 15 minutes
pour 16 gaufres
suggestion d'accompagnement feta grillée (page 155), crêpes roulées au saumon fumé (page 196).

Salade tricolore

1 petite tomate (90 g) épépinée et coupée en petits dés
40 g de chorizo coupé en petits dés
50 g de mozzarella coupée en petits dés
1 c. à c. d'huile d'olive
2 c. à c. de vinaigre balsamique
24 grosses feuilles de basilic frais

1 Mélangez dans un saladier la tomate, le chorizo, la mozzarella, l'huile d'olive et le vinaigre.
2 Déposez un peu de salade sur chaque feuille de basilic.

prêt en 20 minutes
pour 24 pièces
suggestion d'accompagnement antipasti (page 268), quesadillas (page 327).

apéro saveurs asiatiques

Huîtres à l'asiatique

24 huîtres
60 ml de jus de citron vert
1 c. à c. de sauce de poisson thaïlandaise
2 c. à c. de sucre en poudre
2 c. à c. de crème de coco
1 ciboule (25 g) coupée en tranches fines
1 long piment rouge frais émincé
2 c. à c. de coriandre fraîche ciselée
2 c. à c. de menthe fraîche ciselée

1 Sortez les huîtres de leur coquille.
2 Mélangez dans un saladier le jus de citron vert, la sauce de poisson et le sucre. Ajoutez les huîtres, couvrez et réfrigérez 1 heure avant d'incorporer la crème de coco.
3 Dans un bol, mélangez la ciboule, le piment et les herbes.
4 Disposez des cuillères chinoises sur le plat de service. Placez dans chacune une huître sans l'égoutter, puis garnissez-la du mélange d'aromates.

prêt en 30 minutes + marinade
pour 24 huîtres
suggestion d'accompagnement crevettes à l'orange et au miel (page 227), bouchées vapeur au poulet (page 345).

Bouchées vapeur au poulet

300 g de poulet haché
2 c. à c. de châtaignes d'eau hachées
1 gousse d'ail pilée
1 c. à c. de sauce soja
1 c. à c. de vin de cuisine chinois
1 cm de gingembre frais (5 g) râpé
24 carrés de pâte à wontons (raviolis chinois)
2 c. à c. de vinaigre de riz
2 c. à c. d'huile de sésame
80 ml de sauce soja supplémentaire

1 Dans un récipient, mélangez le poulet, les châtaignes d'eau, l'ail,
la cuillerée de sauce soja, le vin et le gingembre.
2 Placez une feuille de pâte dans la paume de votre main et déposez au
milieu une cuillerée à café bombée de farce. Refermez à demi votre main,
puis pincez les bords de pâte en les tordant légèrement pour fermer
l'aumônière.
3 Déposez les aumônières dans un cuit-vapeur huilé sans les faire
se toucher. Couvrez et faites cuire 10 minutes à la vapeur.
4 Mélangez le reste des ingrédients dans un bol.
5 Disposez des cuillères chinoises sur le plat de service. Placez dans
chacune une aumônière et nappez-la d'une cuillerée à café de sauce soja.

prêt en 50 minutes
pour 24 bouchées
suggestion d'accompagnement canapés croustillants au tartare
de thon (page 200), brochettes de poisson cru à la sauce thaïe (page 354).

Brochettes au poulet façon thaïe

1 petit piment rouge frais émincé
7 cm de gingembre frais (35 g) finement râpé
1 c. à c. de nuoc-mâm
1 c. à c. de sauce soja
2 gousses d'ail pilées
2 c. à c. de zeste de citron vert râpé
500 g de poulet haché
½ petit poivron rouge (75 g) coupé en lanières
35 g de noix de cajou non salées, grillées
4 poignées de coriandre fraîche ciselée
1 c. à s. d'huile d'arachide
2 c. à c. de jus de citron

1 Préchauffez le gril du four.
2 Mélangez le piment, le gingembre, la sauce de soja, le nuoc-mâm, l'ail, le zeste de citron vert, le poulet et le poivron dans un saladier. Formez 24 petites boulettes avec cette farce.
3 Disposez-les sur une plaque de cuisson huilée et passez-les 10 minutes sous le gril jusqu'à ce qu'elles soient bien cuites.
4 Mixez le reste des ingrédients pour obtenir un pesto homogène.
5 Présentez les bouchées sur des piques et garnissez-les de pesto.

prêt en 25 minutes
pour 24 brochettes
suggestion d'accompagnement huîtres au mirin et au wasabi (page 192), brochettes de thon au sésame (page 349).

Brochettes de thon au sésame

2 pavés de thon frais (300 g en tout)
1 c. à s. de graines de sésame blanc
1 c. à s. de graines de sésame noir
1 c. à s. d'huile de sésame
2 c. à s. de mayonnaise
1 c. à c. de pâte wasabi

1 Mélangez les graines de sésame dans une assiette
et pressez les pavés de thon dedans, sur les deux faces.
2 Versez l'huile dans une poêle et saisissez le thon à feu vif :
il doit rester rosé à cœur, sinon sa chair a tendance à sécher.
3 Détaillez les pavés en 24 cubes égaux de 2 cm chacun.
Mélangez la mayonnaise avec le wasabi.
4 Présentez chaque cube de thon sur une pique et servez
avec la mayonnaise au wasabi.

prêt en 25 minutes
pour 24 brochettes
suggestion d'accompagnement noix de Saint-Jacques à la crème
safranée (page 188), bouchées croustillantes au poulet (page 259).

Bouchées vapeur de porc aux crevettes

200 g de crevettes crues moyennes
400 g de viande de porc hachée
1 c. à c. de poivre du Sichuan grillé et pilé
1 blanc d'œuf
1 c. à c. d'huile de sésame
1 gousse d'ail pilée
10 g de gingembre frais râpé
3 ciboules coupées en tranches fines
24 feuilles de riz
sauce au piment
60 ml de sauce soja
1 c. à c. d'eau
1 c. à c. de jus de citron vert
1 petit piment rouge émincé

1 Décortiquez les crevettes, puis hachez-les grossièrement.
2 Mélangez la chair des crevettes avec la viande hachée, le poivre écrasé, le blanc d'œuf, l'huile de sésame, l'ail, le gingembre et les ciboules. Disposez une feuille de riz dans la paume de votre main et déposez 1 cuillerée à café rase de farce au milieu. Fermez délicatement la main pour rabattre la pâte sur la farce en formant des plis légers sur les côtés. Ne serrez pas trop pour que l'aumônière reste ouverte. Préparez ainsi 24 aumônières.
3 Déposez les aumônières dans un cuit-vapeur en bambou légèrement huilé : elles ne doivent pas se toucher. Couvrez et faites cuire 10 minutes à la vapeur.
4 Préparez la sauce au piment.
5 Servez les aumônières avec la sauce.
sauce au piment mélangez tous les ingrédients dans un bol.

prêt en 40 minutes
pour 24 bouchées
suggestion d'accompagnement mini tourtes au poulet (page 252), crevettes thaïes à la noix de coco (page 377).

Brochettes yakitori

500 g de blanc de poulet
125 ml de mirin
60 ml de kecap manis
1 c. à c. de sauce soja
1 c. à c. de graines de sésame grillées
1 ciboule coupée en tranches fines

1 Détaillez les blancs de poulet en fines lamelles que vous enfilerez en accordéon sur des brochettes en bambou. Disposez les brochettes en une seule couche dans un plat peu profond.
2 Préparez une marinade avec le mirin, le kecap manis et la sauce soja. Versez-en la moitié sur les brochettes et laissez 3 heures au moins au réfrigérateur. Réservez le reste de marinade dans un récipient fermé.
3 Juste avant de faire cuire les brochettes, versez la marinade réservée dans une casserole et faites-la réduire de moitié à feu doux.
4 Égouttez les brochettes et faites-les griller sur un gril en fonte huilé. Disposez-les dans un plat de service, nappez-les de marinade chaude et saupoudrez de graines de sésame et de ciboule.

prêt en 30 minutes + marinade
pour 24 brochettes
pratique faites tremper les brochettes en bambou 1 heure dans de l'eau froide pour éviter qu'elles ne brûlent pendant la cuisson.
suggestion d'accompagnement sashimi à la truite de mer (page 370), raviolis chinois frits (page 373).

Brochettes de poisson cru à la sauce thaïe

250 ml de jus de citron
60 ml de jus de citron vert
1 c. à c. de nuoc-mâm
2 c. à c. de cassonade
1 poignée de menthe fraîche ciselée
1 poignée de coriandre fraîche ciselée
2 courgettes moyennes (240 g)
400 g de filet de saumon sans la peau

1 Faites une marinade avec le jus de citron, le jus de citron vert, le nuoc-mâm, le sucre et les herbes.
2 Ôtez le bout des courgettes et détaillez ces dernières en 24 rubans fins à l'aide d'un couteau économe.
3 Retirez les arêtes du saumon et coupez le filet en 24 fines lamelles. Couvrez chaque lamelle d'un ruban de courgette puis piquez-les ensemble en accordéon sur les brochettes.
4 Déposez les brochettes dans un grand plat peu profond. Arrosez-les de marinade, couvrez et réfrigérez 3 heures ou toute une nuit en les retournant de temps en temps. Présentez les brochettes dans un autre plat, en les nappant d'un peu de marinade. Vous pouvez aussi les arroser d'un filet d'huile d'olive.

prêt en 30 minutes + marinade
pour 24 brochettes
suggestion d'accompagnement bouchées au fenouil et au gorgonzola (page 107), barquettes de trévise au crabe (page 224).

Rouleaux de printemps

1 c. à s. d'huile d'arachide
2 blancs de poulet
24 feuilles de riz moyennes
1 petit poivron rouge émincé
100 g de germes de soja
20 g de feuilles de menthe fraîche
20 g de feuilles de coriandre fraîche
sauce aux piments
1 gousse d'ail pilée
2 c. à s. de nuoc-mâm
60 ml de jus de citron vert
60 ml de sauce aux huîtres
65 g de sucre de palme
2 piments rouges épépinés et finement hachés

1 Faites chauffer l'huile dans une petite poêle. Faites revenir le poulet
jusqu'à ce qu'il soit bien doré et cuit à point. Laissez reposer 10 minutes.
Coupez-le en 24 lamelles.
2 Laissez ramollir une feuille de riz dans un saladier d'eau chaude
et sortez-la délicatement. Placez la feuille sur un plan de travail et
essuyez-la avec du papier absorbant. Déposez les morceaux de poulet
au centre, légèrement en biais. Recouvrez de poivron, de germes de soja,
de menthe et de coriandre. Repliez le coin inférieur sur la garniture
puis roulez la pâte pour bien envelopper cette garniture. Continuez
avec les autres feuilles de riz.
3 Servez les rouleaux de printemps froids avec la sauce aux piments.
sauce aux piments mélangez les ingrédients dans une petite casserole.
Remuez à feu moyen jusqu'à dissolution du sucre. Laissez refroidir
au réfrigérateur.

prêt en 1 heure 10
pour 24 rouleaux
suggestion d'accompagnement huîtres à l'asiatique (page 342),
raviolis de porc sauce aigre-douce (page 378).

Nems au porc et aux champignons

4 champignons noirs séchés
75 g de cacahuètes grillées et broyées
2 ciboules coupées en tranches fines
1 poivron vert moyen (200 g) haché
3 feuilles de combava ciselées
10 g de gingembre frais râpé
500 g de viande de porc hachée
1 c. à c. de sauce soja
2 c. à c. de sauce aux huîtres
1 c. à c. de vin de cuisine chinois
20 feuilles de riz de 20 x 21,5 cm
huile d'arachide pour la friture

1 Faites gonfler les champignons 20 minutes dans un petit saladier d'eau bouillante à couvert. Égouttez-les. Coupez et jetez les pieds. Détaillez les chapeaux en fines lamelles.

2 Mettez dans un saladier les champignons, les cacahuètes, les ciboules, le poivron, les feuilles de combava, le gingembre, la viande de porc, la sauce soja, la sauce aux huîtres et le vin. Mélangez bien.

3 Posez une feuille de riz sur le plan de travail en dirigeant un des angles vers vous. Déposez un peu de farce près de cet angle, roulez la feuille de riz (un seul tour suffit), rabattez les côtés sur la farce et continuez de rouler pour enfermer la garniture. Préparez ainsi 20 nems. Badigeonnez le raccord de pâte d'un peu d'eau pour le faire adhérer.

4 Faites chauffer de l'huile dans un wok et faites frire les nems en plusieurs tournées jusqu'à ce qu'ils soient bien dorés et parfaitement cuits. Égouttez-les sur du papier absorbant.

prêt en 1 heure 10
pour 20 nems
suggestion d'accompagnement moules à l'avocat et au gingembre confit (page 187), brochettes de citronnelle au saumon grillé (page 232).

Brochettes de porc sauce satay

1 kg de filet de porc
60 ml d'huile d'olive
1 c. à c. de poivre noir fraîchement moulu
140 g de beurre de cacahuètes
60 ml de sauce chili douce
1 gousse d'ail pilée
250 ml de bouillon de poulet
50 ml de lait de coco

1 Découpez le porc en 32 tranches fines de 8 cm de longueur. Enfilez une tranche sur chaque brochette.
2 Badigeonnez la viande avec le mélange d'huile d'olive et de poivre. Faites cuire en plusieurs fois sur un gril en fonte ou au barbecue.
3 Pendant ce temps, mélangez le beurre de cacahuètes, la sauce chili, l'ail, le bouillon de poulet et le lait de coco. Portez à ébullition, puis laissez mijoter 2 minutes à feu doux jusqu'à ce que la sauce épaississe légèrement.
4 Servez les brochettes avec la sauce satay.

prêt en 35 minutes
pour 32 brochettes
suggestion d'accompagnement bouchées croustillantes au poulet (page 259), crevettes thaïes à la noix de coco (page 377).

Pâtés impériaux

4 champignons shiitake séchés
1 c. à s. d'huile d'arachide
3 oignons blancs émincés
2 gousses d'ail pilées
450 g de viande de porc hachée
65 g de châtaignes d'eau finement hachées
100 g de chou chinois émincé
2 c. à c. de nuoc-mâm
1 c. à s. de sauce soja claire
2 c. à s. de sauce aux huîtres
48 carrés de pâte à wontons (raviolis chinois)
1 œuf légèrement battu
sauce chili
80 ml de vinaigre de vin rouge
80 ml de sauce chili douce

1 Dans un récipient résistant à la chaleur, couvrez les champignons d'eau bouillante et laissez-les tremper 20 minutes. Égouttez-les puis émincez-les.
2 Faites chauffer l'huile dans un wok et faites revenir les oignons et l'ail. Incorporez le porc et laissez cuire à feu vif jusqu'à ce qu'il soit doré. Ajoutez les champignons, les châtaignes d'eau, le chou, le nuoc-mâm, la sauce soja et la sauce aux huîtres. Poursuivez la cuisson jusqu'à ce que le chou soit juste tendre. Laissez tiédir.
3 Préchauffez le four à 180 °C ou à 160 °C pour un four à chaleur tournante. Huilez légèrement les plaques de cuisson.
4 Répartissez la farce au centre de chaque carré de pâte. Badigeonnez les bords d'œuf battu. Roulez la pâte sur la farce, en diagonale, puis rentrez les bords à l'intérieur après le premier tour. Disposez les rouleaux sur les plaques, badigeonnez-les avec le reste d'œuf et faites cuire environ 10 minutes à four moyen.
5 Servez chaud avec la sauce.
sauce chili mélangez le vinaigre et la sauce chili dans un bol.

prêt en 60 minutes
pour 48 pièces
suggestion d'accompagnement crevettes citron vert coco (page 228), bouchées vapeur au poulet (page 345).

Maki au thon et au concombre

4 feuilles de nori
200 g de riz pour sushi cuit
2 c. à c. de pâte wasabi
120 g de thon frais coupé en lanières de 5 mm
1 concombre libanais (130 g) épépiné et coupé en fines lamelles
60 ml de sauce soja japonaise

1 Pliez une feuille de nori en deux et coupez-la à la pliure. Placez une moitié de feuille sur une natte à sushi en bambou (sudaré) dans le sens de la hauteur, la face alvéolée sur le dessus, à 2 cm du bas de la natte.
2 Humectez vos mains avec de l'eau vinaigrée. Divisez le riz en quatre portions égales et déposez une portion au centre de la feuille de nori en formant un rectangle.
3 Retrempez vos doigts dans l'eau vinaigrée. Étalez délicatement le riz en laissant 2 cm en haut de la feuille.
4 Déposez un trait de wasabi au milieu du riz, sur toute la largeur. Recouvrez le wasabi de lanières de thon, puis de lamelles de concombre.
5 En vous aidant de la natte de bambou, enroulez la feuille de nori sur la garniture et pressez fermement. Quand le rouleau va se refermer, la feuille de nori va se coller automatiquement.
6 Déroulez la natte de bambou. Placez le rouleau sur un plan de travail. Avec un couteau très bien aiguisé, coupez le rouleau en six.
7 Répétez l'opération avec le reste des ingrédients et servez aussitôt à température ambiante avec de la sauce soja et du wasabi.

prêt en 30 minutes
pour 48 pièces
suggestion d'accompagnement brochettes au poulet façon thaïe (page 346), sashimi à la truite de mer (page 370).

Cornets californiens

10 feuilles de nori
100 g de mayonnaise
1 c. à c. de pâte wasabi
200 g de riz pour sushi cuit
60 g de crabe cuit, émietté
1 concombre libanais (130 g) épépiné et coupé en lamelles
1 petit avocat (200 g) coupé en lamelles
1 petit poivron rouge (150 g) coupé en lamelles

1 Coupez chaque feuille de nori en quatre. Mélangez la mayonnaise et la pâte wasabi dans un bol.
2 Placez un morceau de feuille de nori en diagonale dans votre main gauche, la face lisse en dessous. Humectez vos mains avec de l'eau vinaigrée. Divisez le riz en quatre portions égales et déposez une portion au centre de la feuille de nori en formant un rectangle. Étalez délicatement le riz sur la feuille de nori en creusant une petite rainure au milieu. Garnissez cette rainure de mayonnaise au wasabi, puis recouvrez de crabe, de concombre, d'avocat et de poivron.
3 Rabattez un côté de la feuille de nori sur la garniture, puis rabattez l'autre côté pour former un cornet. Repliez la pointe du cornet.
4 Servez à température ambiante.

prêt en 45 minutes
pour 40 pièces
suggestion d'accompagnement mini brochettes de Saint-Jacques au citron vert (page 231), bouchées de crevettes à la vapeur (page 374).

Ura-maki de Sidney

2 feuilles de nori coupées en deux dans le sens de la longueur
200 g de riz pour sushi cuit
2 c. à c. de shichimi (mélange de sept épices japonaises)
2 c. à c. de graines de sésame noir
2 c. à c. de graines de sésame blanc
1 ½ c. à c. de pâte wasabi
1 petit avocat (200 g) coupé en lamelles
200 g de saumon frais coupé en bandes de 1 cm
60 ml de sauce soja japonaise

1 Étalez un film alimentaire sur une natte à sushi en bambou (sudaré). Déposez ½ feuille de nori sur la natte dans le sens de la hauteur, la face alvéolée sur le dessus. Humectez vos mains d'eau vinaigrée. Divisez le riz en quatre portions égales et étalez une portion sur toute la surface de la feuille de nori.
2 Saupoudrez le riz avec un quart du shichimi et un quart de graines de sésame noir et blanc. Retournez la feuille de nori de façon que le riz se trouve contre le film alimentaire. Étalez un trait de wasabi d'un bout à l'autre de la feuille de nori, à 2 cm du bord, puis recouvrez d'avocat et de saumon.
3 En vous aidant de la natte et en retirant progressivement le film alimentaire, roulez l'ura-maki en partant du bord le plus près de vous. La feuille de nori se trouve à l'intérieur du rouleau tandis que le riz est à l'extérieur.
4 Avec un couteau essuyé avec un linge humide, coupez le rouleau en six. Répétez l'opération avec le reste des ingrédients.
5 Servez les ura-maki à température ambiante, avec le reste de wasabi et la sauce soja.

prêt en 20 minutes
pour 32 pièces
pratique pour que les ura-maki ne sèchent pas, conservez le rouleau dans un film alimentaire, sans le découper, jusqu'au moment de servir.
suggestion d'accompagnement huîtres à l'asiatique (page 342), brochettes yakitori (page 353).

Sashimis à la truite de mer

200 g de truite de mer fraîche
¼ de poivron rouge (50 g)
1 concombre libanais (130 g)
1 oignon blanc épluché
sauce au citron
125 ml de vinaigre de riz
55 g de sucre en poudre
2 c. à c. de sauce soja claire
½ c. à c. de zeste de citron finement râpé

1 À l'aide d'un couteau bien aiguisé, levez seize tranches très fines dans les filets de truite.

2 Épépinez le morceau de poivron et enlevez les filaments. Coupez le concombre en deux dans le sens de la longueur, épépinez-le. Coupez l'oignon dans le sens de la longueur. Détaillez le poivron, le concombre et l'oignon en bâtonnets de 8 cm de long.

3 Disposez les tranches de truite sur le plan de travail. Déposez le poivron, le concombre et l'oignon sur un des bords de chaque tranche. Roulez la truite et disposez ces sashimis sur le plat de service.

4 Servez aussitôt avec la sauce au citron.

sauce au citron mettez à chauffer le vinaigre, le sucre et la sauce soja dans une petite casserole. Remuez jusqu'à dissolution du sucre. Retirez du feu, ajoutez le zeste de citron et laissez reposer 10 minutes. Filtrez la sauce dans un bol à travers une passoire, jetez le zeste.

prêt en 30 minutes
pour 16 pièces
suggestion d'accompagnement moules au piment et au citron vert (page 195), maki au thon et au concombre (page 365).

Raviolis chinois frits

1 c. à s. d'huile de sésame
400 g de viande de bœuf hachée
190 g de châtaignes d'eau en boîte, égouttées et finement hachées
1 c. à s. de sauce soja claire
1 c. à s. de sauce aux huîtres
1 c. à s. de graines de sésame
40 carrés de pâte à wontons (raviolis chinois)
1 blanc d'œuf légèrement battu
huile végétale
sauce chili douce pour servir

1 Faites chauffer l'huile de sésame dans une poêle. Faites revenir le bœuf en remuant jusqu'à ce qu'il soit doré. Retirez du feu. Ajoutez les châtaignes d'eau, la sauce soja, la sauce aux huîtres et les graines de sésame. Laissez refroidir dans la poêle.
2 Déposez 1 cuillerée bien pleine de cette préparation au centre des carrés de pâte. Badigeonnez les bords de blanc d'œuf. Fermez les raviolis et scellez-les en pinçant les bords.
3 Faites frire les raviolis en plusieurs fois dans une sauteuse jusqu'à ce qu'ils soient dorés de chaque côté. Égouttez-les sur du papier absorbant.
4 Servez chaud, accompagné d'un petit bol de sauce chili douce.

prêt en 1 heure 15
pour 40 raviolis
suggestion d'accompagnement crevettes citron vert coco (page 228), pâtés impériaux (page 362).

Bouchées de crevettes à la vapeur

1 kg de crevettes roses crues
50 g de pousses de bambou finement hachées
1 c. à s. de ciboulette fraîche finement ciselée
2 c. à c. d'huile de sésame
2 c. à c. de fécule de maïs
24 galettes de riz
sauce soja claire pour servir

1 Décortiquez les crevettes et enlevez la veine dorsale. Hachez-les finement. Dans un grand saladier, mélangez les crevettes, les pousses de bambou, la ciboulette, l'huile de sésame et la fécule de maïs. Mixez la moitié de cette préparation jusqu'à obtention d'une pâte lisse. Mélangez la pâte obtenue au reste de la préparation.
2 Prenez une galette de riz dans la paume de votre main. Garnissez-la de farce aux crevettes. Refermez votre main. La pâte doit former des petits plis autour de la farce sans la recouvrir. Tapotez la base des bouchées sur un plan de travail pour les aplatir. Répétez l'opération avec le reste des ingrédients.
3 Posez délicatement les bouchées dans un panier vapeur en bambou huilé. Faites cuire 10 minutes à la vapeur, en plusieurs fois, au-dessus d'une grande casserole d'eau bouillante.
4 Servez chaud avec une sauce soja claire.

prêt en 50 minutes
pour 24 bouchées
suggestion d'accompagnement canapés croustillants au tartare de thon (page 200), brochettes yakitori (page 352).

Crevettes thaïes à la noix de coco

24 crevettes roses crues
35 g de farine
2 œufs légèrement battus
100 g de noix de coco râpée
125 ml de sauce chili douce
2 c. à s. d'eau
2 c. à s. de coriandre fraîche grossièrement hachée

1 Préchauffez le four à 180 °C ou à 160 °C pour un four à chaleur tournante. Huilez légèrement 2 plaques de cuisson.
2 Décortiquez les crevettes et enlevez la veine dorsale. Roulez-les dans la farine. Secouez pour enlever l'excédent de farine. Plongez-les dans les œufs battus avant de les enrober de noix de coco.
3 Enfilez une crevette sur chaque brochette. Placez les brochettes côte à côte sur les plaques. Faites cuire environ 15 minutes au four.
4 Pendant ce temps, mélangez la sauce chili, l'eau et la coriandre dans un petit saladier.
5 Servez chaud avec cette sauce.

prêt en 45 minutes
pour 24 crevettes
suggestion d'accompagnement poulpes au piment et à l'ail (page 236), nems au porc et aux champignons (page 358).

Raviolis de porc sauce aigre-douce

300 g de viande de porc hachée
2 c. à s. de kecap manis
1 c. à c. de sucre en poudre
1 c. à s. de saké
1 œuf légèrement battu
2 c. à c. d'huile de sésame
3 choux chinois émincés
4 ciboules émincées
40 carrés de pâte à wontons (raviolis chinois)
1 c. à s. d'huile végétale
sauce aigre-douce
125 ml de sauce soja claire
60 ml de vinaigre de vin rouge
2 c. à s. de vinaigre de vin blanc
2 c. à s. de sauce aux piments doux

1 Dans un grand saladier, mélangez le porc, le kecap manis, le saké, le sucre, l'œuf, l'huile de sésame, le chou et les ciboules. Laissez 1 heure au réfrigérateur.

2 Déposez 1 cuillerée bien pleine de cette préparation au centre de chaque carré de pâte, puis refermez ce dernier sur la garniture en pinçant les bords pour les sceller.

3 Remplissez d'eau le fond d'une sauteuse et portez à ébullition. Faites pocher les raviolis en plusieurs fois, en les faisant cuire 3 minutes dans l'eau frémissante. Retirez-les de la sauteuse et laissez égoutter.

4 Faites chauffer l'huile dans une poêle et faites cuire les raviolis en plusieurs fois.

5 Servez chaud avec la sauce aigre-douce.

sauce aigre-douce mélangez la sauce soja, les deux vinaigres et la sauce aux piments doux dans un bol.

prêt en 55 minutes + marinade
pour 40 raviolis
suggestion d'accompagnement huîtres au mirin et au wasabi (page 192), maki au thon et au concombre (page 365).

table des recettes

si vous aimez le fromage

saumon, crevettes et cie

bouchées au poulet

bouchées à la viande

Extraits de *Apéros, Buffets, cocktails et petites fêtes* et *Tapas, mezze & antipasti*.
© ACP Publishing Pty Limited 2002, 2005, 2006.
© 2009 Hachette Livre (Marabout) pour la présente édition.
Suivi éditorial : Natacha Kotchetkova.
Mise en pages : Les PAOistes.
Relecture-correction : Véronique Dussidour.

Imprimé en Espagne par Graficas Estella
Dépôt légal : février 2009
ISBN : 978-2-501-06004-2
40 1764 6 / 01